PROJECT MODEL CANVAS

José Finocchio Júnior

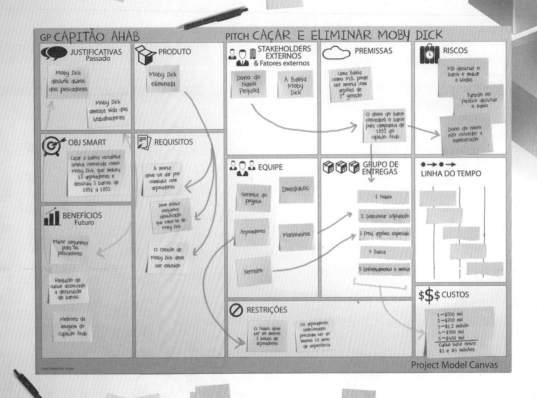

GERENCIAMENTO DE PROJETOS SEM BUROCRACIA

PROJECT MODEL CANVAS

ILUSTRAÇÕES E PROJETO GRÁFICO
Estúdio Caracol e Lucas Pádua

FOTOGRAFIA
Danilo Verpa

ORGANIZAÇÃO E REVISÃO TÉCNICA
Ilana Seltzer Goldstein

10ª tiragem

José Finocchio Júnior

ELSEVIER

CAMPUS

© 2013, Elsevier Editora Ltda.

Todos os direitos reservados e protegidos pela Lei nº 9.610, de 19/02/1998.
Nenhuma parte deste livro, sem autorização prévia por escrito da editora, poderá ser reproduzida ou transmitida sejam quais forem os meios empregados: eletrônicos, mecânicos, fotográficos, gravação ou quaisquer outros.

Projeto gráfico e editoração: Estúdio Caracol
Ilustrações: Estúdio Caracol e Lucas Pádua
Fotografia: Danilo Verpa e Shutterstock
Organização e Revisão Técnica: Ilana Seltzer Goldstein
Revisão: Casa Editorial BBM

Elsevier Editora Ltda.
Conhecimento sem Fronteiras
Rua Sete de Setembro, 111 – 16º andar
20050-006 – Centro – Rio de Janeiro – RJ – Brasil

Rua Quintana, 753 – 8º andar
04569-011 – Brooklin – São Paulo – SP – Brasil

Serviço de Atendimento ao Cliente
0800-0265340
atendimento1@elsevier.com

ISBN 978-85-352-7456-1
ISBN (versão digital): 978-85-352-7457-8

Nota: Muito zelo e técnica foram empregados na edição desta obra. No entanto, podem ocorrer erros de digitação, impressão ou dúvida conceitual. Em qualquer das hipóteses, solicitamos a comunicação ao nosso Serviço de Atendimento ao Cliente, para que possamos esclarecer ou encaminhar a questão.

Nem a editora nem o autor assumem qualquer responsabilidade por eventuais danos ou perdas a pessoas ou bens, originados do uso desta publicação.

CIP-Brasil. Catalogação na Publicação
Sindicato Nacional dos Editores de Livros, RJ

F538p   Finocchio Júnior, José
         Project model Canvas: gerenciamento de projetos sem burocracia / José Finocchio Júnior; ilustração Simon Ducroquet. – 1. ed. – Rio de Janeiro: Elsevier, 2013.
            il.; 17 cm

         Inclui bibliografia e índice
         ISBN 978-85-352-7456-1

         1. Administração de projetos. 2. Planejamento estratégico. I. Ducroquet, Simon. II. Título.

13-03180   CDD: 658.404
                                      CDU: 658.012.2

SOBRE O AUTOR

José Finocchio Júnior é um reconhecido consultor especialista no tema gerenciamento de projetos, defendendo os princípios da simplicidade, da agilidade e da desburocratização.

Continua ativamente atendendo organizações líderes em seus segmentos como gerente de projeto, consultor e *coach* de gestão de projetos. Sua experiência em diferentes tipos de projetos (projetos de inovação, eventos, óleo & gás, construção civil, tecnologia da informação e desenvolvimento de produtos) ajudou-o a criar uma abordagem única com foco no essencial e a conceber o Project Model Canvas.

Finocchio é ativista das mídias sociais e seus grupos de discussões dos temas de gestão na internet já contam com mais de 40.000 profissionais, formando uma das maiores comunidades do mundo nesse tema. É também um defensor do movimento Creative Commons que gera e compartilha conhecimento na web gratuitamente.

Atua como professor de gerenciamento de projetos da FGV Management e da FIA, duas das mais reconhecidas escolas de negócios, das quais recebeu diversos prêmios e reconhecimento dos alunos por abordar o tema de maneira prática e criativa.

Uma de suas mais famosas criações é o PMDOME, o *workshop* ganhador do prêmio do Project Management Institute (PMI) nos Estados Unidos. Neste *workshop*, os participantes experimentam na prática os principais processos de gerenciamento de projetos. Atualmente, é um dos eventos mais concorridos na agenda de gerenciamento de projetos no Brasil.

É mestre em Engenharia pela Escola Politécnica da USP e possui diversas certificações profissionais na área de projetos.

AGRADECIMENTOS

Este livro, como todo projeto, é fruto do trabalho de uma equipe e eu gostaria de reconhecê-la, aqui.

Em primeiro lugar, gostaria de agradecer ao Simon Ducroquet, que cuidou do projeto gráfico, da arte e das ilustrações do livro. Foi um trabalho fundamental, especialmente quando se trata de uma metodologia visual. E à Ilana Seltzer Goldstein, que fez a edição e a revisão técnica com extrema paciência, ajudando a encontrar uma linguagem que pessoas que não são especialistas em projetos pudessem entender.

O livro sai agora, mas já existem centenas de organizações usando o Project Model Canvas e, portanto, eu também desejo agradecer àqueles que me ajudaram antes de o livro sair. Ana Paula Marangoni e sua equipe foram os responsáveis pelo visual do Canvas e de todas as minhas apresentações. Hermann Reipert foi quem criou os vídeos para Youtube, que contribuiu muito para divulgar essa nova abordagem.

Eu tive a sorte de encontrar ainda o Iago Bolivar, um jornalista muito talentoso com as mídias sociais, que atuou como um integrador e me auxiliou a criar o site, deu sugestões muito boas e me apresentou para uma série de outras pessoas talentosas que também ajudaram nesse livro.

Gostaria de agradecer igualmente ao professor Marcelo Peruzzo, pelos longos debates sobre neurociência e a nova maneira de os gestores trabalharem com base nesses novos conhecimentos.

Muito obrigado também ao pessoal do Comitê Olímpico Brasileiro, Marcus Vinicius Freire, Helbert Costa e Adriana Behar, por apostarem em mim e permitirem que eu testasse pioneiramente essa abordagem, no desafiador ambiente em que vivem.

Finalmente, agradeço ao Marco Pace, da editora Elsevier, o editor responsável por esse livro ter chegado, agora, a suas mãos.

SUMÁRIO

1 Introdução

- **13** EM BUSCA DE UM NOVO MODELO

2 Da neurociência ao planejamento de projetos

- **23** O PLANO DE PROJETO COMO MODELO MENTAL
- **27** LIÇÕES DA NEUROCIÊNCIA PARA O PLANEJAMENTO DE PROJETOS
- **33** PROJECT MODEL CANVAS
- **39** A EQUIPE QUE VAI CONSTRUIR O PROJETO

3 Conceber o plano

- **45** UM PLANO DE ATAQUE AO PROBLEMA
- **51** POR QUE FAZER O PROJETO?
- **63** O QUE O PROJETO PRODUZ?
- **71** QUEM TRABALHA NO PROJETO?
- **83** COMO VAMOS ENTREGAR O PROJETO?
- **95** QUANDO O PROJETO SERÁ CONCLUÍDO E QUANTO CUSTARÁ?
- **115** EXEMPLO: PROJETO DE UMA DIETA

4 Integrar

- **129** COMO "COSTURAR" UM PLANO DE PROJETO?
- **131** PROTOCOLO DE INTEGRAÇÃO
- **147** FECHANDO A INTEGRAÇÃO

5
Resolver

- **149** NÓS QUE TRAVAM O DESENVOLVIMENTO DOS PROJETOS

6
Compartilhar

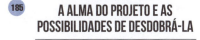

- **181** UM PROJETO BEM DEFINIDO E SEM NÓS
- **185** A ALMA DO PROJETO E AS POSSIBILIDADES DE DESDOBRÁ-LA
- **189** "O QUE É QUE EU FAÇO COM ISSO?"

7
Sistematização da aprendizagem organizacional

- **203** O ACÚMULO DE CAPITAL INTELECTUAL
- **207** MIRROR CANVAS
- **211** IMPRIMINDO E ORDENANDO OS POST-ITS NECESSÁRIOS AO MIRROR CANVAS
- **217** EXPERIÊNCIAS COM O MIRROR CANVAS

- **221** CONCLUSÕES
- **223** REFERÊNCIAS
- **225** ÍNDICE REMISSIVO

1
INTRODUÇÃO

EM BUSCA DE UM NOVO MODELO

As metodologias de gestão de projetos atuais estão pouco adaptadas à realidade das empresas e ao funcionamento da nossa mente

Trabalho com gerenciamento de projetos desde 1991, como consultor de grandes empresas e como professor de pós-graduação. Tenho experimentado diversos caminhos, tenho errado, corrigido, observado, estudado e, principalmente, escutado as pessoas envolvidas em projetos nas organizações.

No intuito de compartilhar minhas aprendizagens e reflexões com outros profissionais e estudiosos da área, decidi escrever esse livro – sem qualquer patrocínio, e também criei um blog com vídeos, modelos e apresentações para serem baixadas gratuitamente na internet (www.pmcanvas.com.br).

Pretendo desafiar visões estabelecidas sobre como planejar um projeto. Colocar em xeque

O plano de projeto é a forma clássica de se apresentar um projeto para as empresas

O PLANO DE PROJETO

Extenso, burocrático e pouco visual

capa

índice

       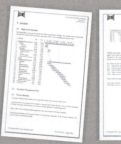 

cronograma

sumário executivo — **escopo**

       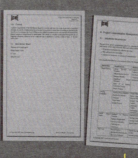

organograma — **atribuições de funções** — **riscos** — **equipe**

   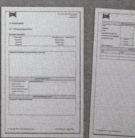   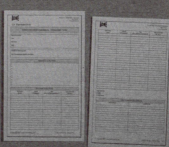

formulário de requisição de mundança

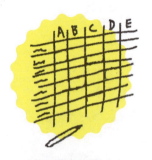

O Excel é a ferramenta mais utilizada para planejar projetos hoje em dia

metodologias convencionais e contribuir para a formulação de um novo modelo que se adapte melhor à realidade das empresas e ao próprio modo de funcionamento de nossas mentes.

Entre os muitos gerentes de projetos que conheci e que possuíam certificações profissionais, a maioria ainda não havia criado um plano de projeto. Pelo menos, não um plano de projeto completo, da maneira que suas credenciais fariam supor.

O problema não reside nesses profissionais, nem em seu processo de aquisição de conhecimento sobre gerenciamento de projetos. O fato é que o modelo padrão de plano de projetos não está, nem nunca esteve, adaptado ao trabalho na maioria das organizações.

Assim, não são poucos os gerentes que produzem os artefatos de um plano de projeto tradicional apenas para cumprir protocolo. Preenchem documentos que, em grande parte, não sabem para que servirão.

Isso, quando elaboram planos de projetos. Pois, na verdade, essa está longe de ser uma prática adotada pela maioria das organizações. Normalmente plano algum é feito, ou então é construído de maneira rudimentar.

Posso afirmar que a ferramenta mais utilizada no planejamento de projetos, hoje, é a planilha de cálculo Excel. Nada contra o Excel; seria ótimo se fosse usado para produzir planos consistentes e não para "pintar barrinhas".

À medida que a eficiência da abordagem tradicional de gerenciamento de projetos tem recebido críticas, abordagens mais ágeis vêm sendo propostas em seu lugar.

Nada existe de errado com o Guia PMBOK©, espécie de bíblia do gerenciamento de projetos. As informações que reúne são necessárias e relevantes para se dominar um projeto. O nó da questão está na forma de aplicá-lo. Um plano de projeto padrão simplesmente não é o mais adequado ao processo de cognição do ser humano, como argumentarei mais adiante.

Um plano de projeto convencional é como um romance em prosa, que desenvolve várias ideias cuja relação não é imediatamente evidente (por exemplo: dois personagens que precisam ser associados, na imaginação do leitor, podem estar a dezenas de páginas de distância um do outro).

Embora o enredo do livro seja descoberto pelo leitor aos poucos, as relações entre os elementos da narrativa preexistem e subjazem à lógica do romance. Em outras palavras, mesmo que a prosa pareça sequencial, o relacionamento entre seus componentes é múltiplo, paralelo, simultâneo e ramificado.

De maneira análoga, o formato linear e extenso do plano de projeto convencional tem a desvantagem de seguir um fluxo único e longo. As ideias vão sendo apresentadas e interligadas com as demais de forma fragmentária: uma após a outra e uma de cada vez.

Isso faz com que a maioria dos projetos seja posta em prática sem que sua lógica geral tenha sido suficientemente debatida e definida.

Como construir um plano de projeto de uma nova forma, que se afaste da linearidade textual, que deixe evidentes as conexões entre as partes, que seja mais fácil de elaborar e efetivamente aplicável no cotidiano? Essa é a pergunta que tem me mobilizado ultimamente e que pretendo responder nos capítulos que se seguem.

Antes, porém, de iniciar a apresentação do novo modelo que quero propor, o Project Model Canvas, não poderia deixar de reverenciar dois nomes que foram importantes para que eu chegasse até aqui. Inspirei-me, entre outros autores, em Osterwalder e Pigneur (2010), que criaram um modelo de plano de negócios baseado no preenchimento coletivo de um canvas (termo em inglês que pode ser traduzido como quadro ou pano de fundo), sobre o qual vão sendo colocados pedaços de papel autocolantes. Esse procedimento encantou-me pela sua simplicidade, pela possibilidade de rápida visualização e pela forma participativa, em que vários membros da equipe constroem juntos o resultado final.

Apesar de eu ter incorporado a ideia do canvas em meu novo modelo de plano de projeto, é preciso ressaltar que, por outro lado, existem grandes diferenças entre a abordagem de Osterwalder e Pigneur (2010) e a minha. Primeiramente, enquanto a dupla discute a concepção de um novo *negócio*, meu intento, aqui, é propor uma nova maneira de planejar um *projeto*. Em segundo lugar, o conteúdo do *business model* proposto pelos dois autores é totalmente diferente (lá, constam elementos como "valores da empresa" e "canais de distribuição" e não aparecem componentes fundamentais em meu caso, como "restrições" e "entregas").

A forma de preenchimento do canvas também é distinta, pois proponho um processo com quatro etapas e uma ordem predeterminada. Os componentes do meu canvas estão agrupados em perguntas fundamentais, o que não ocorre no método de Osterwalder e Pigneur. Proponho um protocolo de integração que leva em conta a teoria de gerenciamento de projetos, o que tampouco está presente no caso dos outros dois autores. Por fim, combinei o método do canvas montado de modo participativo com outras ideias e conceitos que busquei, tanto na bibliografia sobre projetos, como nas pesquisas recentes de neurociências.

Espero que a leitura desse material seja proveitosa para você.

O Project Model Canvas é a união de tendências novas com pesquisas em neurociências

2
DA NEUROCIÊNCIA AO PLANEJAMENTO DE PROJETOS

O PLANO DE PROJETO COMO MODELO MENTAL

Nosso cérebro não vê o mundo tal qual uma imagem fotográfica, mas cria uma série de modelos mentais (Wujec, 2009)

De acordo com Tom Wujec, *designer* de informação e palestrante internacional, quanto melhor compreendermos o funcionamento do cérebro humano e a maneira pela qual cria sentidos e significados, melhor seremos capazes de nos comunicar e de compartilhar informações.

As pesquisas têm apontado que nosso cérebro não vê o mundo "como ele é", tal qual uma imagem fotográfica detalhada, mas cria uma série de modelos mentais (Wujec, 2009). Qualquer processo de visualização começa quando a luz incide na retina, gerando impulsos nervosos rapidamente transmitidos para a porção posterior do cérebro. Ali fica o córtex visual primário, que identifica apenas formas geométricas simples. Em seguida, as informações são redirecionadas para outras áreas do

Entender como o cérebro cria modelos mentais é essencial para elaborar um modelo de planejamento

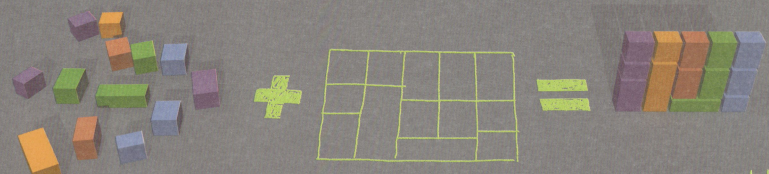

cérebro, entre as quais uma que reconhece o que algo é, encaixando-o em categorias, dando-lhe um nome; e uma segunda que situa o objeto no espaço, em relação a outros objetos.

Não caberia, aqui, aprofundar detalhes neurofisiológicos, e eu nem teria competência para isso. O importante é aprender com os avanços da neurociência, procurando aplicar certas lições ao planejamento de projetos.

A primeira lição é que ninguém consegue ter na cabeça um projeto, apenas modelos de projeto. Um modelo mental do projeto é formado por **conceitos** – como recursos, *stakeholders*, entregas, riscos – e pelas **relações entre esses conceitos**.

Quando estabelecemos nosso modelo mental, acreditamos que será possível realizá-lo (embora nem sempre isso se mostre verdadeiro). Com efeito, cada modelo mental de projeto representa apenas uma entre infinitas possibilidades.

Além disso, o modelo mental do projeto é um "boneco" simplificado: não é a própria realidade. Olhamos para o "boneco" para compreender uma parcela da realidade – nele representada de forma esquemática e incompleta.

Portanto, a natureza de nossos modelos mentais de projetos será sempre imprecisa, incerta e cheia de lacunas. A boa notícia é que modelos mentais podem ser aprimorados com debate, com a prática e o tempo.

Modelos mentais sempre existiram, não estou inventando nada novo. O que proponho, aqui, é que tentemos explicitar os modelos mentais dos projetos de uma maneira mais rápida. Que tornemos visível algo que geralmente permanece invisível.

LIÇÕES DA NEUROCIÊNCIA PARA O PLANEJAMENTO DE PROJETOS

Se existe algo que demanda bastante "poder computacional" de nosso cérebro é a concepção de um plano de projeto, durante a qual diversos conceitos devem ser relacionados, e cada combinação deve ser pensada.

Um plano de projeto é, antes de mais nada, uma construção de hipóteses sobre um cenário futuro e desconhecido. Ele se torna consistente justamente pela integração entre os diversos conceitos que o compõem.

O esquema gráfico a seguir mostra de que maneira *stakeholders*, premissas, riscos e restrições podem, de fato, estar intimamente relacionados em um plano de projeto.

ESTRUTURA

Exemplo de relacionamento entre conceitos num plano de projeto

STAKEHOLDER EXTERNO
Autoridades alfandegárias do porto

→

PREMISSAS
Autoridades alfandegárias do porto irão liberar peças em três dias úteis

→

RISCOS
Autoridades alfandegárias do porto podem entrar em greve e bloquear liberação de peças

→

RESTRIÇÕES
Peças críticas deverão ser importadas considerando três semanas extras de lead time

A concepção de um plano de projeto demanda, em primeiro lugar, capacidades cerebrais como o estabelecimento de metas; a resolução de problemas; a visualização de situações não experimentadas e o pensamento criativo. Todas elas são associadas ao córtex pré-frontal.

Os problemas racionais são atacados de maneira sequencial pelo córtex pré-frontal. No entanto uma quantidade reduzida de informações pode ser mantida na "memória de trabalho" do córtex pré-frontal. Seu "poder computacional" é limitado em comparação às demais regiões do cérebro, como por exemplo o córtex visual, responsável por processar imagens.

Além disso, o córtex pré-frontal é um grande consumidor de glicose, energia que se exaure rapidamente, de maneira que, em apenas uma fração da jornada de trabalho, esse

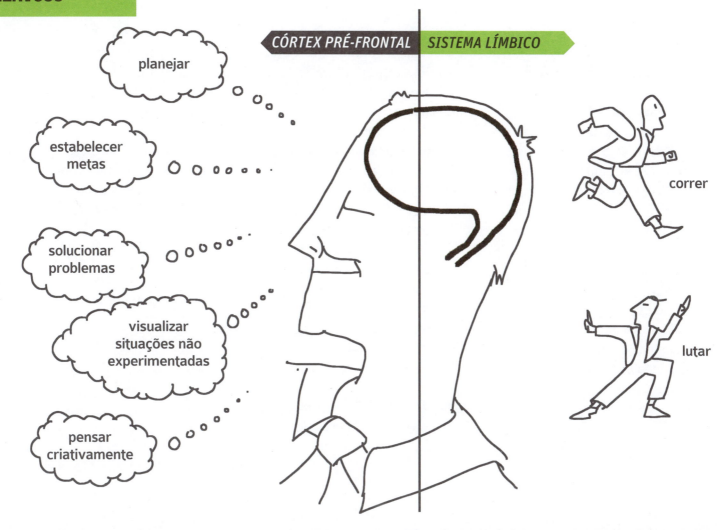

recurso terá sido utilizado até o limite, no intrincado planejamento de todas as variáveis de um projeto.

Na verdade, as emoções e os instintos também contribuem de maneira significativa nesse processo. Nosso sistema límbico, que cuida da parte emocional, é um especialista em sobrevivência e, rapidamente, classifica tudo como "ameaça" ou "recompensa".

Segundo David Rock (2009), quando não dispomos de informação suficiente para classificar algo como "ameaça" ou "recompensa", inconscientemente, também consideramos como "ameaça". É exatamente o que pode ocorrer quando uma pessoa que mal conhecemos é introduzida na equipe.

Existe algo mais ameaçador do que um forasteiro querendo mudar nossa maneira de trabalhar, sem que tenhamos autonomia sobre as decisões a respeito de nosso futuro, marcado por incertezas? Pois bem, o nome dado a esse forasteiro muitas vezes é gerente de projeto... Afinal, é comum o gerente do projeto ser de um departamento diferente dos demais colaboradores (subordinados a outros chefes), chamados para fazer parte da equipe do projeto. É frequente, também, que um profissional recém-contratado na organização tenha a missão de implantar um projeto.

Quando classificamos algo desconhecido como "ameaça", nosso cérebro, desde os tempos mais primitivos, oferece duas opções: fugir ou lutar (Rock, 2009). Nenhuma delas é favorável ao sucesso de um projeto.

Uma vez tendo exposto brevemente as características e limitações do cérebro, a questão que se coloca é: o que devemos inserir, adaptar ou suprimir numa metodologia de planejamento de projetos, para que ela se desenvolva de forma harmônica com o nosso próprio funcionamento cerebral? Eis algumas proposições:

FACILITE PARA SEU CÉREBRO

PREPARO
Estimular um ambiente positivo e acolhedor. Pedir, no início, para que todos da equipe se apresentem e resumam sua trajetória e/ou indiquem por que estão ali. Convencionar como serão resolvidos conflitos e dúvidas, ao longo do processo

FOCO
Conduzir sessões de planejamento mais curtas, aproveitando o pico de desempenho do córtex pré-frontal e evitando exauri-lo

INTEGRAR
Integrar itens dois a dois, a fim de reduzir o esforço de processamento

VISUALIZAÇÃO
Explorar melhor o pensamento visual, um dos mais poderosos e evoluídos no cérebro humano

RELACIONAR
Manter todos os conceitos necessários ao plano no mesmo desenho, permitindo que eles sejam relacionados imediatamente

ORDEM
Responder às questões do projeto sequencialmente, na ordem correta, evitando sobrecarregar a memória de trabalho

PARTICIPAR
Dar autonomia aos stakeholders, para que participem do plano de maneira ativa, desarmando a postura defensiva característica de quem se sente ameaçado

AGRUPAR
Agrupar conceitos de maneira a diminuir o número de itens processados de uma única vez

ATENÇÃO
Manter nível máximo de atenção dos *stakeholders* no problema (ao menos durante um determinado intervalo de tempo)

PROJECT MODEL CANVAS

Priorizar a lógica e pensar em conjunto

Levando em consideração o que foi exposto nas páginas anteriores, apresentarei, a partir de agora, o Project Model Canvas, que utiliza conhecimentos da neurociência, aliados às minhas próprias observações da realidade cotidiana do trabalho com projetos. Irei propor uma maneira mais amigável de conceber um plano de projeto, que traz rapidamente à tona o modelo mental que temos dele.

Um primeiro ponto bastante prático é que a confecção do Project Model Canvas não demanda nada que alguém não possua à mão, num escritório: aqueles pequenos papéis adesivos conhecidos como post-its e folhas para flip chart (formato A1).

Uma folha no formato A1, segmentada em 13 blocos, será usada como uma tela de fundo – canvas, em inglês –, ou seja, um espaço inicialmente vazio que será preenchido à medida que formos colocando sobre ele nossos conceitos sobre o projeto e que formos relacionando esses conceitos entre si. O canvas deve ser de um tamanho suficiente para um pequeno grupo de pessoas poder colaborar ao seu redor. O canvas, diferentemente de um template de plano de projeto, é uma **agenda** sobre a qual os *stakeholders* irão se debruçar para conceber a lógica do projeto.

O Project Model Canvas representa somente o essencial, podendo ser usado de duas maneiras diferentes.

Primeiramente, como documento único e consistente do planejamento do projeto, imediatamente seguido pela execução.

Além disso, pode ser utilizado também como ferramenta preliminar que conformará a lógica do projeto, servindo de base para a transcrição posterior a um plano de projeto representado de modo formal.

FAZENDO SEU PRÓPRIO CANVAS

Flip-chart

post-its

caneta

Desenhando o canvas à mão

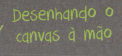

① Desenhe quatro linhas na vertical e duas na horizontal

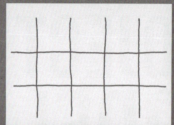

② Elimine os traços indicados

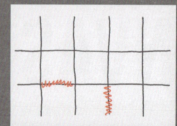

③ Escreva os títulos de cada quadro

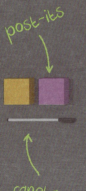

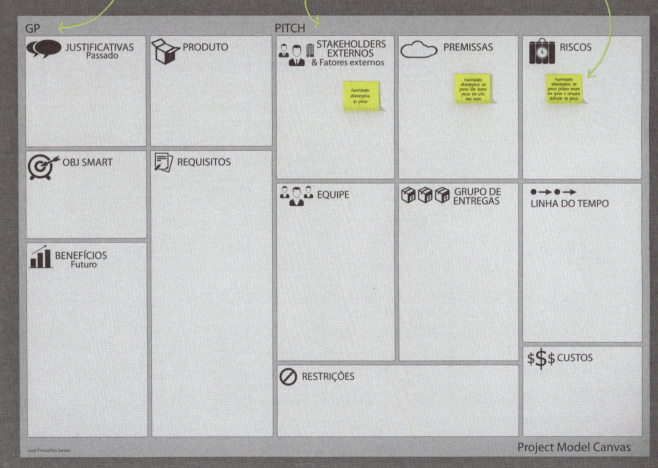

Podemos, por opção, abrir mão do formalismo; mas não podemos abrir mão da lógica.

É importante esclarecer que o canvas não é um fluxograma do projeto, já que um fluxograma mostra uma sequência de passos, enquanto o importante no canvas são as **relações entre os conceitos**.

Em segundo lugar, trata-se de algo bem diferente de um plano convencional, porque é feito em equipe e de modo ágil.

Hoje, estimulados pelas novas tecnologias, tendemos a pensar juntos e em rede. A evolução das redes sociais nos ensinou também que, com apenas 140 caracteres, é possível transmitir o essencial.

O novo plano de projeto, curto, essencial e pragmático, está, portanto, em sintonia com a contemporaneidade.

Os post-its oferecem, por si só, uma clara restrição à quantidade do que podemos escrever. Isso é ótimo: se não existe espaço para escrever muito, temos que escrever melhor. Ainda mais limitado que a superfície dos post-its é o precioso tempo dos *stakeholders*; eles agradecerão sua concisão.

Vale observar que não existe um número, nem um tamanho obrigatório para os post-its. O ideal é comunicar tudo o que é necessário escrevendo o mínimo possível, pois assim será mais fácil relacionar visualmente os elementos no canvas.

Em alguns capítulos desse livro são oferecidas sugestões, mas você tem liberdade para segui-las *ou não*. Pode ser que, num plano de projeto, seja necessário usar três papéis autocolantes grandes para o objetivo, ao passo que, em outro, seja possível resumi-lo em um único post-it de tamanho médio.

Para simplificar minha exposição, e para não engessar demais a metodologia, não me refiro no presente material à coloração dos post-its. Mas quero deixar claro que essa é uma possibilidade muito interessante que a equipe de planejamento de projeto pode optar por explorar, atribuindo cores diferentes a conteúdos diferentes, a graus de prioridade diferentes e assim por diante.

AS 4 ETAPAS DE CONSTRUÇÃO DO CANVAS

CONCEBER
Nessa etapa, são respondidas 6 perguntas fundamentais: Por que? O que? Quem? Como? Quando? e Quanto? Daí resulta uma sequência com ordem específica

INTEGRAR
Num segundo momento, garante-se a consistência entre os blocos e estabelece-se a integração entre os componentes

RESOLVER
Então, é preciso identificar os pontos em que a montagem do canvas "travou", por causa de indefinições, falta de informação ou contradições. Esses problemas devem ser levados como "lição de casa"

COMUNICAR/ COMPARTILHAR
No final do processo, o canvas servirá como base para gerar outros documentos, sejam eles apresentações, cronogramas, orçamentos, ou até mesmo planos de projeto

A EQUIPE QUE VAI CONSTRUIR O PROJETO

Não existem papéis predefinidos no Project Model Canvas, apenas duas regras básicas:

- Ele deve ser feito preferencialmente em equipe;

- Pelo menos uma das pessoas presentes deve ter conhecimento sobre os conceitos básicos envolvidos no gerenciamento de projetos e sobre como eles se relacionam entre si.

Os temas tratados no Project Model Canvas não fogem daqueles tradicionais, abordados em qualquer curso de gerenciamento de projetos. E todos os conceitos necessários estão explicados de maneira simples neste livro.

Há muitas configurações possíveis para a equipe-tarefa, capazes de produzir bons resultados. O ideal é misturar pessoas que conhecem muito do negócio com pessoas que não o conhecem; colocar lado a lado indivíduos que dominam gerenciamento de projetos, com outros que não dominam.

Um exemplo básico seria o de uma equipe formada por 3 pessoas com perfis distintos, conforme mostra a p. 41.

De qualquer maneira, configurações mistas entre experientes e novatos são sempre as melhores. Os mais experientes irão trazer o conhecimento do trabalho a ser feito, domínio sobre os riscos e cenários possíveis; mas os novatos carregam a ousadia de não se deter diante de normas e costumes – sintetizada na bela frase do cineasta francês Jean Cocteau: "Não sabendo que era impossível, foi lá e fez".

UMA EQUIPE IDEAL PARA MONTAR O PLANO

Um especialista do escritório de projetos que não construirá o plano, mas criticará de maneira propositiva as formas de integrar os conceitos

Um gerente de projetos que possui fundamentos de gerenciamento de projetos e que elaborará o plano

Um especialista na área de negócio específica, que conhece o ramo, mas não conhece gerenciamento de projetos, nem a dinâmica do Project Model Canvas

3
CONCEBER O PLANO

UM PLANO DE ATAQUE AO PROBLEMA

Confúcio escreveu, sabiamente, que "uma jornada de um milhão de milhas começa com um passo". Ao que eu acrescentaria: "um passo na direção correta"

Quando você preencher o Project Model Canvas com post-its, uma mágica acontecerá: aquilo que estava obscuro ficará nítido. Fragmentos de informação armazenados nos recônditos cerebrais dos diversos *stakeholders* irão se cristalizar à sua frente. Emergirá um modelo mental completo e consistente que trará convergência para o grupo que o gerou.

Para que tudo isso aconteça é preciso dar o primeiro passo, e na direção correta. Existem questões de ordem fundamental que precisam ser respondidas primeiro. Se a ordem for seguida, as respostas subsequentes ficarão mais fáceis de encontrar.

Cada área demarcada do canvas representa uma função de planejamento específica e essas áreas demarcadas estão agrupadas em

A disposição dos componentes do canvas sugere uma sequência de resolução a ser seguida

TAXONOMIA DO PROJECT MODEL CANVAS

blocos, que respondem às grandes questões: Por quê? O quê? Quem? Como? Quando? Quanto?

No canvas reproduzido na próxima imagem, note que, da esquerda para a direita, os 13 componentes aparecem na ordem em que serão preenchidos. Perceba também que cada coluna tem uma cor diferente. Essas cores correspondem às perguntas fundamentais, como ficará evidente na figura *O DNA do Canvas: perguntas fundamentais*, logo em seguida.

Leonardo da Vinci dizia que a simplicidade é a forma mais elevada de sofisticação. Seguindo o ensinamento do mestre renascentista, devemos garantir que, no canvas do plano de projeto, seja fácil visualizar as grandes questões e que os detalhes desnecessários sejam deixados de fora.

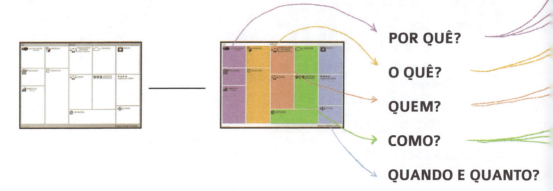

CANVAS
É um espaço no qual você pode prototipar o modelo mental do seu projeto, por ser preenchido com post-its, pode ser reajustado inúmeras vezes

PERGUNTAS FUNDAMENTAIS
São perguntas que definem seu projeto de maneira que qualquer um o entenda, a resposta às perguntas antecessoras torna mais fácil responder às sucessoras

COMPONENTES

São conceitos clássicos de gerenciamento de projeto que têm ocupado as mentes dos gerentes de projeto nos últimos 50 anos

POSTS

São sentenças curtas escritas em cada post-it e que irão preencher cada componente com informação específica do projeto

É recomendável que as perguntas sejam respondidas na ordem em que aparecem na figura. Por exemplo, se ainda não conseguimos definir por que o projeto deve ser feito, não é hora ainda de se preocupar com o que fazer.

Permito-me abrir um parêntese para comentar algo que, talvez, tenha surgido ou vá surgir na cabeça como dúvida para o leitor. O fato de a pergunta "Por quê?", nesse modelo, vir antes da pergunta "O quê?", não é casual. De acordo com Simon Sinek (2009), compramos bens e nos associamos a organizações e mesmo a pessoas, não apenas pelo que eles são e oferecem, mas principalmente por suas motivações e crenças. Nas palavras do autor, "as pessoas não têm que precisar do que você vende. Nem trabalhar para você por dinheiro. Elas têm é que acreditar em coisas similares, você e elas precisam ter motivações compartilhadas" (Sinek, 2009).

No caso dos produtos da Apple, por exemplo, Sinek afirma que é a busca por inovação e beleza, bem como a coragem para fazer rupturas que geram admiração e identificação nos consumidores.

Essa busca é anterior aos produtos da Apple propriamente ditos.

Ela é justamente o PORQUÊ de todas as ações da Apple.

Em síntese, pessoas e organizações motivadas pelos mesmos "porquês" desenvolvem relações de lealdade e confiança. Valores e desejos falam mais alto que fatos e números. Esse é um processo que passa menos pelo racional e mais por aquela parte do cérebro chamada sistema límbico. Daí a importância de colocar a pergunta "por quê?" sempre no início do plano do projeto.

Bem, vamos agora tratar separadamente de cada segmento do Project Model Canvas.

"Por que" é a pergunta mais importante a ser respondida; ela definirá os valores que identificarão todos os envolvidos no projeto

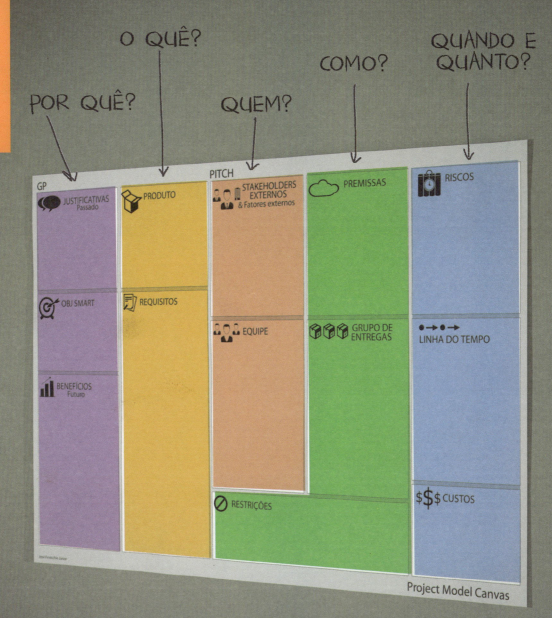

POR QUE FAZER O PROJETO?

Todo projeto defende uma mudança da situação atual para uma situação futura melhor

A real motivação da resposta a esta pergunta é simples: para melhorar nossa situação! Ninguém deveria fazer um projeto para piorar o estado das coisas.

Temos que sair de uma situação atual com problemas e demandas não atendidas para um futuro melhor e com maior valor.

Os problemas e demandas existentes comporão a **Justificativa** do plano de projeto. As melhorias e o valor agregado que imaginamos no futuro constituirão os **Benefícios**. E a ponte necessária que nos transportará da situação atual para a futura será o Objetivo do Projeto.

Um projeto é sempre uma busca por uma situação melhor

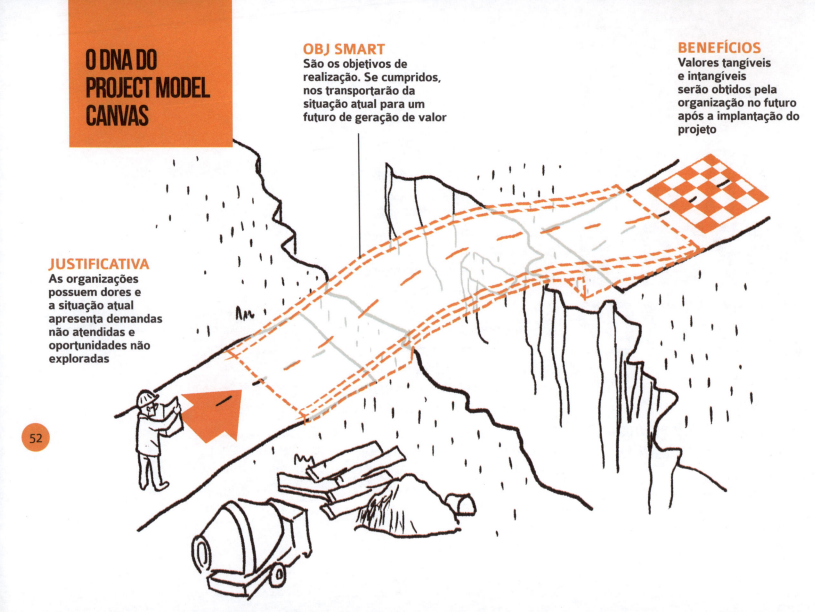

FALHAS NA CONCEPÇÃO DO EMPREENDIMENTO

NÃO ATENDE À DEMANDA

Problemas da situação atual não foram levantados adequadamente. O objetivo do projeto foi timidamente estabelecido, incapaz de gerar o valor que a organização necessitava

FALTA QUALIDADE

A qualidade requerida do produto do projeto e seus requisitos não foram bem especificados e gerenciados. O organização terá que investir tudo de novo para chegar lá

INÚTIL

Os esforços e investimentos da organização não serão compensados com geração extra de valor. Novos benefícios trazidos pelo projeto não são significativos

FALHAS NA CONCEPÇÃO DO EMPREENDIMENTO

QUE LEVA PARA O MESMO LUGAR

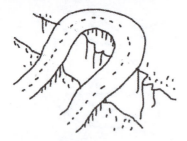

O projeto não apresenta uma situação futura desafiadora e será incapaz de melhorar os indicadores de desempenho da organização, que ficará no mesmo patamar

CATÁSTROFE

Por desconhecimento das técnicas de entrega do projeto, má avaliação dos riscos envolvidos, ou má gestão, o projeto colocou a organização numa situação pior àquela em que se encontrava

EXAGERADO

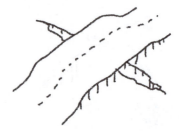

Existiam soluções muito mais simples com menor esforço que trariam os benefícios requeridos pela organização

INACABADO

IMPOSSÍVEL

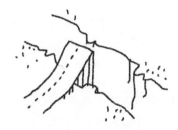

A organização subestimou os esforços, os custos e os riscos envolvidos e não possui mais recursos financeiros e humanos para finalizar o projeto

O objetivo do projeto não era alcançável com as competências atuais e nem realista dentro das limitações de recursos. Os requisitos do projeto eram inviáveis tecnicamente

JUSTIFICATIVA É aqui que as "dores" sentidas na situação atual são descritas, mas sem exagero, somente até que sejam suficientes para motivar a estruturação do projeto. Pense sempre de maneira enxuta, nesse e nos outros blocos, para garantir que o conjunto inteiro irá caber no canvas.

Escreva, se possível cada justificativa em um papel autocolante separado, formando um conjunto que contém pontos principais que comprovam a relevância do projeto. Inclua, além de problemas a solucionar, também oportunidades não exploradas, necessidades de negócio ou exigências legais não atendidas.

Se sua organização vendeu um projeto, é claro que isso também motiva o projeto; mas enfatize as demandas que fizeram o cliente comprá-lo. Esse tipo de informação lhe será muito mais útil no planejamento do projeto.

Após ter colado o(s) post-it(s) na área do canvas referente à justificativa, reserve alguns minutos para reposicioná-lo(s) de maneira que os argumentos mais importantes fiquem no topo. Isso ajudará a decidir o que é mais relevante mencionar.

OBJETIVO DO PROJETO
O objetivo do projeto é o que ele permitirá atingir. É a finalidade de todos os esforços e recursos que serão mobilizados.

Para se forçar a exercer o seu poder de síntese, imagine que entrou num elevador que o levará do térreo até o quarto andar com o presidente da sua organização. Nesse curto período de tempo, você tem a oportunidade de contar o objetivo do seu projeto. Após você sair do elevador, o presidente precisa ter clareza das linhas gerais do escopo, do prazo e do custo do seu projeto.

Pois bem, no momento do planejamento, procure formular o objetivo do projeto à maneira de um discurso de elevador para o presidente: direto, resumido, e ao mesmo tempo persuasivo e pertinente.

No canvas, o objetivo deve ser traduzido em um parágrafo escrito em um post-it de tamanho extragrande, de 98 mm x 149 mm, ou então, em no máximo dois post-its grandes, de 76 mm x 76 mm – tamanho mais fácil de encontrar no Brasil.

O importante é objetivar o máximo de concisão possível. Mantendo os textos pequenos, conseguiremos relacioná-los melhor visualmente aos demais componentes do canvas. A evolução na concisão se dá por tentativas e aperfeiçoamentos. A vantagem é que, ao escrevermos em post-its, podemos alterar quantas vezes quisermos, basta arrancar e escrever de novo.

Mesmo curto, o objetivo deve seguir o formato conhecido como SMART (sigla que deriva das iniciais de cinco palavras, conforme mostra a página seguinte).

Use os post-its a seu favor: destaque-os e reescreva o texto quantas vezes forem necessárias

O FORMATO SMART

S.M.A.R.T.

ESPECÍFICO
Utilize qualificadores e adjetivos suficientes para elucidar o projeto

MENSURÁVEL
Aponte alguns números relativos ao esforço necessário ou aos resultados principais

ALCANÇÁVEL
Indique que ele pode ser realizado com competências ao alcance da organização

REALISTA
Mostre que haverá tempo e recursos (financeiros ou não) para realizar o projeto

DELIMITADO NO TEMPO
Coloque a data de conclusão do projeto

BENEFÍCIOS DO PROJETO

Quando trabalhei para a consultoria britânica Deloitte – que atua no mundo todo, inclusive no Brasil, contando com 200.000 profissionais – a prática corrente era remeter toda ação empresarial à geração de valor para os acionistas da empresa. Inspirando-me na aprendizagem que tive na Deloitte, recomendo que os quatro pontos ao lado sejam lembrados, quando se trata de apontar os benefícios de um projeto.

No caso de uma organização que, além dos fins lucrativos, preze a responsabilidade socioambiental e a sustentabilidade, proponho acrescentar uma categoria suplementar de benefício:

» Atenuamento dos impactos social e ambiental

BENEFÍCOS DE PROJETO DESEJÁVEIS

- Aumento de receita
- Diminuição de custos
- Uso mais eficiente dos ativos existentes
- Melhoria da imagem da empresa

Esse é um aspecto cada vez mais fundamental, já que o grande desafio das sociedades contemporâneas é buscar um modelo de crescimento com equilíbrio durável entre os polos econômico, social e ambiental, o chamado *triple bottom line*.

A semente dessa concepção foi lançada com a publicação de um relatório da Comissão Mundial sobre Meio Ambiente e Desenvolvimento, em 1987, intitulado "Nosso Futuro Comum", que definia o conceito de *desenvolvimento sustentável* como "aquele que responde às necessidades do presente sem comprometer a capacidade das gerações futuras de responder às suas necessidades".

Trata-se, portanto, de garantir a liberdade e o fortalecimento dos mercados, sem por isso descuidar de questões ecológicas e sociais – que no limite, poderiam minar a economia. Nas palavras da antropóloga Ilana Goldstein "se não houver segurança pública, indivíduos qualificados e saudáveis, sistemas de representação política efetivos e consumidores com poder aquisitivo, tampouco haverá um desenvolvimento econômico pleno e duradouro" (Goldstein, 2008: p. 55).

Levando em conta esse cenário, os benefícios do projeto podem e devem incluir ganhos sociais e ambientais.

Agora, não se esqueça de verificar se, de fato, aquilo que a equipe aponta como benefícios do projeto está efetivamente associado à resolução do problema ou demanda subjacente ao projeto. Por mais positivos que sejam, os benefícios só se justificam se dialogarem com os objetivos e a justificativa do projeto.

Além disso, ao escrever sobre os benefícios, use, sempre que possível, critérios quantificáveis, preferencialmente aqueles que serão usados posteriormente para mensurar o êxito do projeto.

Se a organização promotora tem objetivos estratégicos bem definidos e para os quais o projeto contribui, vale a pena mencioná-los um a um, colocando um post-it pequeno para cada objetivo. Ao lado, cole um segundo post-it pequeno, avaliando o grau de contribuição do seu projeto para cada objetivo estratégico da organização. É útil, nesse momento, lançar mão de uma escala verbal para julgar o grau de contribuição do projeto ao objetivo estratégico específico:

» **MUITO ALTA**
ALTA
ENTRE MÉDIA E ALTA
MÉDIA
ENTRE MÉDIA E BAIXA
BAIXA
MUITO BAIXA

Os benefícios listados no canvas ficariam como o exemplo representado a seguir:

Projeto contribui p/ Objetivo Estratégico:	Intensidade da contribuição:
Conquistar mais clientes da classe A e B	Muito alta
Ser a marca de maior valor do mercado	alta
Encurtar ciclo de lançamento de novos produtos	Entre média e baixa

Posteriormente, se for necessário priorizar projetos, a classificação acima se revelará útil.

No caso de sua organização ter *vendido* um projeto, o bloco dos benefícios será compartilhado com o cliente, sendo dividido em duas partes:

» **Em uma das partes, colocaremos os benefícios para a organização que vendeu o projeto, tais como resultados financeiros, margens de lucratividade e outros benefícios, caso haja. Essa parte garantirá que o projeto seja saudável para sua** *organização*.

» **Na outra parte listaremos os benefícios que geram valores para a** *organização do cliente*. **Prestar atenção a essa parte pode ajudar, inclusive, a conquistar o próximo projeto do mesmo cliente.**

Nesse bloco, vale o Princípio de Pareto: a maior parte do valor será entregue por um conjunto reduzido de benefícios. Coloque, portanto, os mais relevantes no topo.

O QUE O PROJETO PRODUZ?

Todo projeto gera produtos, serviços ou resultados que atendem reais necessidades de seus clientes

Todo projeto gera um produto – serviço ou resultado – para um cliente – mesmo que esse cliente seja você próprio, no caso de um projeto pessoal.

O produto – serviço ou resultado – tem de atender a determinados requisitos para ser bem aceito pelo cliente.

Portanto, especificações do produto do projeto e de seus requisitos constituem componentes fundamentais para determinarmos a QUALIDADE do que o cliente vai receber.

É natural esperarmos que o cliente forneça informações sobre o produto e sobre seus requisitos na forma de uma DEMANDA clara para a equipe do projeto. Contudo, nem sempre será fácil para o cliente organizar tais informações sozinho; portanto, engajá-lo como parceiro no processo é importante.

O QUE O PROJETO PRODUZ

PRODUTO DO PROJETO
Deve ter características claras e mensuráveis. Só pode ser considerado entregue quando estiver completamente pronto

EQUIPE DO PROJETO
Direcionada pelo gerente de projeto, é responsável pela execução do projeto

CLIENTE
É quem recebe o projeto

A especificação de qualidade é fundamental para determinar o que a equipe deve produzir e o cliente espera que seja entregue

De todo modo, a equipe deverá responder a essa demanda construindo as entregas em determinadas condições de trabalho, conforme esquematizado no canvas representado na figura *Relações do Canvas: demanda e trabalho* que está na página seguinte.

O PRODUTO DO PROJETO

Visualize o último dia do projeto: todos estão felizes com o sucesso da empreitada. O que está sendo entregue para o cliente? Resposta: o produto do projeto.

No Project Model Canvas, você vai descrever, no bloco, "produto" justamente aquilo que será entregue para o cliente. É muito comum que se trate de um produto único e, nesse caso, será representado com um post-it apenas.

Como mencionado anteriormente, existem também projetos que não constroem um produto propriamente dito: entregam um serviço ou apenas um resultado para o cliente – igualmente registrados em um post-it. Nada como ilustrar com exemplos concretos os três diferentes tipos de "saída" que um projeto pode ter.

Uma equipe de especialistas em tecnologia da informação conceberá um projeto para desenvolver um novo aplicativo destinado ao controle de estoques. Isso é um produto.

A mesma equipe fará um segundo projeto para migrar os maiores clientes da versão antiga do aplicativo para a nova versão. Isso é um serviço.

RELAÇÕES DO CANVAS: DEMANDA E TRABALHO

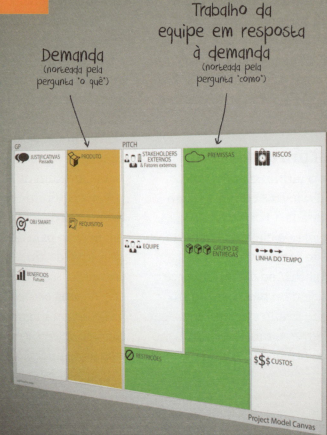

E se a equipe fizer mais um projeto, agora para obter uma certificação de maturidade organizacional em desenvolvimento de *software*; se, com a nova certificação receber um título de uma organização tradicional, isso deverá ser considerado como um resultado.

REQUISITOS Imagine que um cliente contratou, de uma famosa empresa de arquitetura, a construção da casa de seus sonhos.

Se a comunicação entre o cliente e os realizadores do projeto não for muito clara e precisa, provavelmente ocorrerão decepções e aborrecimentos.

O cliente precisará fornecer informações sobre cada uma das áreas da casa. Por outro lado, pode não ser prático se deter minuciosamente em cada detalhe, ao menos num primeiro momento. Por exemplo, o cliente dirá que não quer paredes separando a cozinha da sala de jantar, mas não necessariamente a largura que deve haver entre os azulejos da cozinha.

Pois bem, os **requisitos** são a maneira de o cliente comunicar para a equipe aquilo que lhe parece necessário ou desejável no produto que vai receber ao término do projeto.

Os participantes da montagem do canvas devem fazer uma lista dos principais componentes ou subsistemas que compõem o produto do projeto, sem esquecer de nenhum relevante.

Mas, atenção: sendo o canvas um modelo simplificado, é preciso manter o detalhamento no nível menos minucioso possível e, se for o caso, as equipes técnicas desdobrarão mais adiante os requisitos, com maiores níveis de detalhamento.

CARACTERÍSTICAS DOS REQUISITOS NO PROJECT MODEL CANVAS

CARACTERÍSTICA	DETALHAMENTO
Unitário	Refere-se a uma única coisa
Completo	Abrangente. Não negligencia informações relevantes
Consistente	Não contradiz os demais requisitos
Atômico ou Não-conjugado	Não contém conjunções ou locuções conjuntivas, do tipo "se", "e", "ou", "portanto", "mas", "quando", "conforme", "à medida que"
Rastreável	Pode ser relacionado, total ou parcialmente, a necessidades dos *stakeholders*
Atual	Não se torna obsoleto durante o período de duração do projeto
Factível	Pode ser implementado dentro das condições e circunstâncias reais do projeto
Não ambíguo	Exprime fatos objetivos, não opiniões subjetivas
Prioridade determinada	Deve ter importância e prioridade relativas, determinadas em relação aos outros requisitos
Verificável	Pode ser verificado por meio de métodos básicos, como inspeção, testes e simulações

Traduzido e adaptado a partir de uma tabela em inglês, publicada no site: http://en.wikipedia.org/wiki/Requirements

No canvas, comece o bloco de requisitos mencionando, em linhas gerais, o comportamento e as funções desempenhadas pelo produto, lembrando de escrever apenas um requisito para cada post-it.

Em seguida, liste os requisitos básicos relativos a qualidades que o produto deve ter, seu desempenho e sua confiabilidade.

É importante que os requisitos redigidos nos post-its permitam visualizar de maneira clara e abrangente o produto, suas características e suas funções principais.

Para ajudá-lo, a tabela *Características dos Requisitos no Project Model Canvas* traz as características de um requisito bem formulado.

Com a equipe de frente para o canvas, poderá eventualmente advir uma sensação de desconforto, pois pode ser a primeira vez que o cliente e a equipe tenham a oportunidade de falar sobre os requisitos.

Para diminuir a pressão, deixe claro que outras coisas poderão ser agregadas depois, se preciso. O processo de definição de requisitos está ainda incompleto e impreciso nesse momento de concepção da lógica do proejo.

A equipe tem que se concentrar em algo que seja útil e agregue valor ao cliente, tendo em mente que o processo de delimitação de requisitos pode ter que ser concluído por incrementos, à medida que se conheça mais e mais o projeto.

Finalize esse bloco revendo a cobertura e a relevância dos requisitos.

Para se certificar de que os itens mais relevantes foram mencionados, ordene por grau de prioridade os post-its que contêm os requisitos. Não se esqueça de diferenciar aqueles que são *necessários* dos que são apenas *desejáveis*.

É possível que você tenha que dedicar mais tempo à coleta dos requisitos do que aos outros pontos do canvas.

Ademais, devido à necessidade de aprofundar o detalhamento dos requisitos para a execução do projeto, pode ser que algumas entregas sejam especificamente dedicadas a eles, podendo assumir nomes como "*design*" ou "arquitetura do sistema". Só não esqueça de mencionar tais entregas no canvas, no local adequado.

QUEM TRABALHA NO PROJETO?

Todos que trabalham e produzem coisas para esse projeto fazem parte da equipe de projeto

"Quem trabalha no projeto?" é uma pergunta muito importante, pois ajuda a entender os limites do problema que se quer atacar. Se você possui uma visão clara de quem faz parte da equipe e quem não faz, saberá diferenciar, também, o que é interno ao projeto e deve ser controlado, e o que é externo ao projeto e pode apenas ser monitorado.

Faça um inventário mental do trabalho que deve ser realizado dentro do projeto que você gerencia. Quem são as pessoas ou organizações que executam cada parte desse trabalho inventariado? Não esqueça de incluir no componente "equipe" os terceiros que fazem alguma entrega no projeto.

Aqueles que não trabalham diretamente no projeto, mas são importantes de alguma maneira para o seu planejamento são listados no campo "*stakeholders externos*", descrito a seguir.

STAKEHOLDERS EXTERNOS
Stakeholders são todas as pessoas ou organizações envolvidos ou afetados pelo projeto.

É importante mapear os *stakeholders*, pois seu interesse – ou sua resistência – podem determinar a vida e a morte do projeto. Para o sucesso desse empreendimento, é necessário fazer o esforço de alinhar os *stakeholders* aos interesses do próprio projeto.

Projetos estão frequentemente associados a transformações e mudanças. Por isso mesmo, algumas empresas adotam um processo formal de gestão de mudanças, que visa a fazer com que os *stakeholders* aceitem e incorporem as mudanças ocorridas. Mas, cuidado: no bloco *stakeholders externos*, listaremos apenas aqueles *stakeholders* que **não** trabalham no projeto e que requerem uma atenção extra, entre os quais o cliente do projeto e o patrocinador do projeto.

O **cliente do projeto** é aquele que receberá o produto, serviço ou resultado gerado pelo projeto, e, portanto, possui um papel especial na formulação dos requisitos.

O **patrocinador do projeto** é aquele que providenciará recursos para o projeto, ou usará sua autoridade para que a organização promotora libere esses recursos. Ao longo do processo, garantirá que o projeto os receba na medida em que precisar.

Muito frequentemente, um mesmo indivíduo é o cliente e o patrocinador do projeto. Mesmo assim, é importante que as duas funções sejam registradas em dois post-its pequenos e separados, no canvas.

Além do cliente e do patrocinador, os demais *stakeholders externos* devem igualmente ser relacionados: os fornecedores de matéria-prima; outros departamentos da organização externos ao projeto; órgãos regulatórios; governo, etc.

FATORES EXTERNOS Para ter um mapeamento completo do ambiente externo ao projeto, sugiro que sejam identificados fatores externos que, de alguma maneira, deverão ser monitorados, pois afetarão o planejamento do projeto de maneira significativa.

Entre eles, podemos destacar alguns importantes como os representados na figura *Exemplos de Fatores Externos*.

EXEMPLOS DE FATORES EXTERNOS

- Comportamento da economia
- Fatores climáticos
- Disponibilidade de tecnologia
- Produtividade de uma determinada tecnologia de trabalho
- Disponibilidade de recursos
- Normas regulatórias
- Características culturais onde o projeto será implementado

A EQUIPE DO PROJETO Permito-me começar esse subitem com uma viagem no tempo. Provavelmente, nossos ancestrais que saíam das cavernas para caçar bisões eram bons gerentes de projetos, caso contrário não estaríamos aqui. Transformar o bisão em alimento e vestuário não era um projeto simples, tinha que ser feito por uma equipe.

É fácil imaginar que uma maneira prática que nossos ancestrais encontraram para dividir o trabalho foi a criação de **papéis**: cada indivíduo assumia uma posição na caçada, que pressupunha determinados comportamentos, talentos, direitos e obrigações inerentes àquela situação.

Dentro da equipe de caçadores, podemos criar a hipótese de que o localizador de bisões tivesse a habilidade de seguir pistas, atentar a detalhes, ouvir e enxergar bem; tinha a autoridade de pedir silêncio para os demais e também a responsabilidade de apontar por onde começar a busca. Os responsáveis por abater o bisão precisavam ser fortes e hábeis com a lança. Já o cortador da caça precisava saber usar bem uma faca e possuir conhecimentos sobre os procedimentos de cortes, para melhor aproveitar a pele, a carne e os órgãos internos da presa. É possível que houvesse mesmo alguém responsável por organizar a partilha da carne entre as famílias, entre idosos, crianças, etc., de acordo com as convenções culturais.

Seja nesse exemplo hipotético da caça ao bisão, seja num projeto atual dentro de uma empresa, para pensar

É importante pensar nos membros da equipe considerando seus papéis, mesmo que não tenham ainda um nome definido

em papéis na equipe é preciso formular um modelo mental simples e rápido, conforme indica o esquema na página seguinte.

No canvas, sempre pensaremos nos membros da equipe associados a seus papéis. Todos que produzem algo no projeto precisam estar listados no bloco "equipe", com seus respectivos papéis identificados no âmbito do projeto.

No momento de concepção do projeto, talvez você não conheça ainda o nome dos membros da equipe. Nesse caso, mencione apenas os papéis.

Então, escreva os nomes e/ou papéis daqueles que trabalharão para o projeto em um post-it médio – ou mesmo pequeno, se possível – e cole no bloco correspondente do canvas.

Os campos de força do gerente de projeto No que concerne à equipe, vale a pena nos determos um pouco na figura do gerente de projeto. Seu poder possui duas fronteiras organizacionais invisíveis ou virtuais, que delimitam suas esferas de controle e de influência.

Se você ocupa o papel de gerente de projeto, não é incomum que sua esfera de controle seja pequena. Contudo, se uma organização deseja diminuir o risco de um projeto, uma das coisas a fazer é justamente ampliar a esfera de controle do gerente de projeto.

Na **esfera de controle** do gerente de projeto estão incluídas aquelas pessoas sob sua gestão, cujo trabalho e cuja agenda ele tem autoridade para definir.

OS PAPÉIS DOS MEMBROS DA EQUIPE
Projeto da produção de um filme

PAPEL	1 Produtor	2 Chefe de produção	3 Assistente de produção	4 Diretor de arte
FERRAMENTAS	Ferramentas de Gestão executiva	Ferramentas de Gestão de projetos, MS Project e Excel	Rádio (walkie-talkie), telefones, veículos	*Softwares* de desenho gráfico, ferramentas de desenho/ilustração
AUTORIDADE	■■■■■ 5	■■ 2	■ 1	■■■ 3
ENTREGAS	Levantamento de fundos, contratação de pessoal chave, e negociação de distribuidores.	Controle de orçamentos e cronograma, supervisão dos aspectos físicos da produção	Logística de filmagem, telefonemas, entregas, cópias dos scripts, alimentação da equipe	Cenografia e estilo visual do filme, incluindo figurinos, cenários, decoração e maquiagem
HABILIDADES	Empreendedorismo, liderança, negociação, conhecimento de mercado de filmes	Gestão de projetos, supervisão de pessoal, comunicação	Comunicação, resolução de problemas, automotivação e independência	Conhecimento de desenho de interiores, arquitetura, ilustração e gestão de técnicos de arte
NOMEADO	Carlos Oliveira	Beto Pinheiro (candidato)	Mauro Dias (candidato)	José Antônio Marques
DISPONIBI-LIDADE	3 dias na semana de fevereiro a outubro. Indisponível a partir de novembro	Disponível em tempo integral a partir de 12 de junho	Disponível em tempo integral	30% da semana até o final do ano

5 Diretor do filme	**6** Diretor de fotografia	**7** Roteirista	**8** Operador de câmera
Familiaridades com equipamentos de filmagem som e iluminação	Câmeras, luzes, película de filmes, gruas, lentes e filtros	*Software* de formatação de roteiro (*screenwriting software*)	Câmeras e gruas
■■■■ 4	■■■ 3	■■■ 3	■■ 2
Controlar conteúdo e fluxo do filme, direção do desempenho dos atores, posicionamento das câmeras	Decisões de câmeras, iluminação e enquadramento em conjunto com diretor	Sinopse do filme, resumo das cenas e pontos do enredo, roteiro final do filme	Posicionamento, movimento e operação das cameras, carga de película de filme
Liderança e motivação de equipe, visão artística para enquadrar cenas, controle em situação de pressão	Visão artística, boa visão de cores, conhecimento técnico de processo fotoquímico e digitais dos equipamentos	Habilidade de contar estórias e imaginação	Bom sentido de composição visual, perspectiva e movimento. Coordenação física e força
Roberto Pereira	Marcelo Deodoro (candidato)	Raquel Martins	A ser definido
De segunda a quinta a partir de 15 de junho até 20 de setembro	Disponível em tempo integral a partir de 2 de julho	Já disponível em tempo integral	–

O gerente de projeto pode priorizar partes do trabalho ou modificar o trabalho executado por essas pessoas, de acordo com seu julgamento de gestor.

É desejável que todos aqueles que são responsáveis por entregas importantes ou críticas no projeto se encontrem na **esfera de controle** do gerente de projeto. Porém, pode ocorrer de alguns membros da equipe do projeto, vindos de outros setores da empresa, estarem sob controle do gerente de projeto apenas temporaria e parcialmente.

Uma outra fronteira virtual delimita a **esfera de influência** do gerente de projeto. Ele é capaz de influenciar certas pessoas, entidades ou unidades organizacionais, mesmo que não possa exercer controle unilateral sobre elas. Conseguir que essas pessoas priorizem as tarefas para seu projeto é um de seus grandes desafios.

Isso se aplica, por exemplo, a alguns membros da equipe do projeto que vêm de outras equipes e de outros departamentos da organização e que continuam respondendo a outros gestores. O gerente de projeto não tem autonomia. nem autoridade para determinar sua agenda, mas pode tentar influenciá-la.

É importante que, além de todos os membros da equipe, pelo menos dois *stakeholders externos* façam parte da **esfera de influência** do gerente de projeto: o cliente do projeto, que aprova o produto final e funciona como interlocutor privilegiado no levantamento dos requisitos ou na

O gerente deve perceber o controle e a influência que tem sobre cada *stakeholder*

solicitação de eventuais mudanças; e o patrocinador do projeto, que fornece recursos financeiros e subordina recursos humanos ao projeto – podendo, portanto, evitar a perda de recursos durante o processo, e garantir o aporte de recursos adicionais.

Em nosso modelo de planejamento, colando-se no lugar certo do canvas os post-its relativos à equipe e aos *stakeholders externos* do projeto, os campos de força em torno do gerente de projeto – suas esferas de controle e de influência – se tornarão nítidos, palpáveis.

Isso é importante, porque se trata de fronteiras virtuais e móveis. O gerente de projeto precisa estar atento às possibilidades de expansão de suas esferas de controle e influência e, ao mesmo tempo, cuidar para que elas não sofram retrações. Veja, na página seguinte, como as esferas de influência do gerente de projeto se relacionam.

AS ESFERAS DE INFLUÊNCIA DO GERENTE DE PROJETO

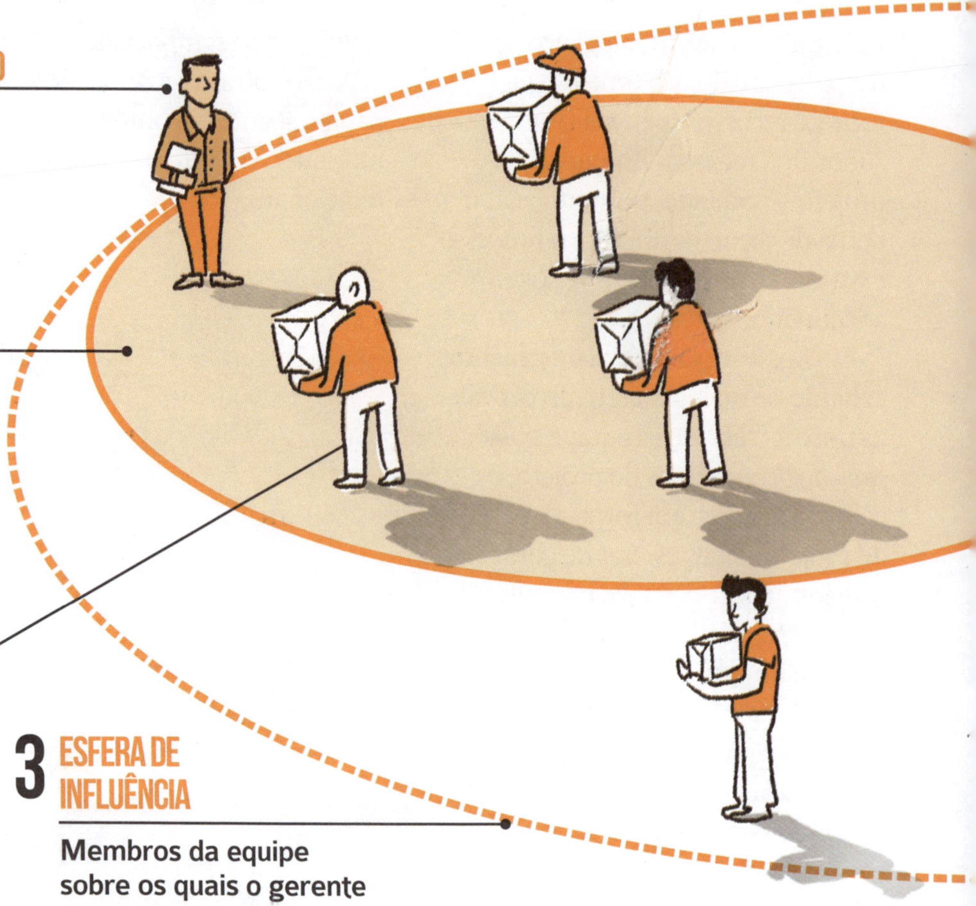

1 GERENTE DE PROJETO

2 ESFERA DE CONTROLE

Membros da equipe sobre os quais o gerente de projeto tem o controle e determina a agenda e de prioridades

É desejável que os membros da equipe responsáveis pelas entregas mais importantes estejam dentro da esfera de controle

3 ESFERA DE INFLUÊNCIA

Membros da equipe sobre os quais o gerente de projeto não tem comando sobre a agenda, mas exerce influência

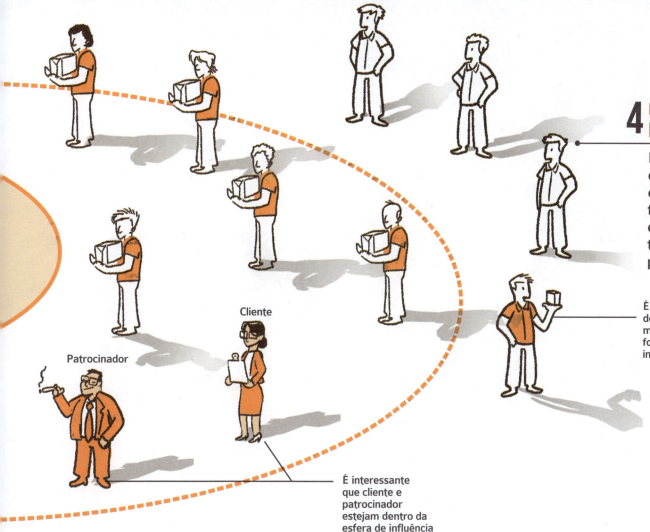

4 ORGANIZAÇÃO FORA DA INFLUÊNCIA

Não sofrem influência do gerente de projeto e, a princípio, não fazem parte da equipe. Mas poderão ter interações com o projeto

É um problema do projeto ter membros da equipe fora da efera de influência

Patrocinador

Cliente

É interessante que cliente e patrocinador estejam dentro da esfera de influência do gerente

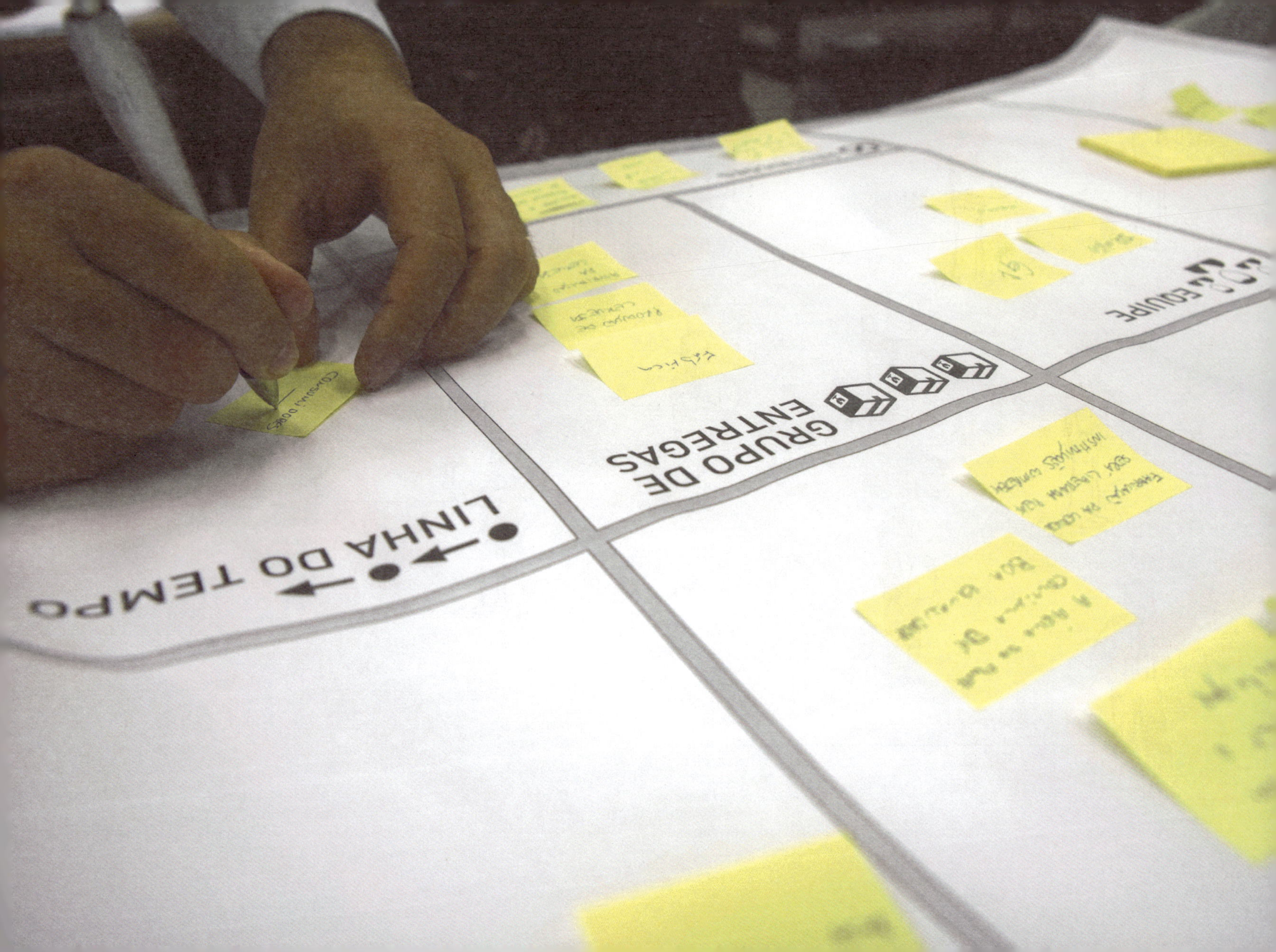
LINHA DO TEMPO
GRUPO DE ENTREGAS
EQUIPE

COMO VAMOS ENTREGAR O PROJETO?

Trabalho, Trabalho, Trabalho

Quando pensamos em como realizar o trabalho em um grande projeto, intuitivamente, nos vem a ideia de inúmeras atividades a serem realizadas.

O problema de pensar o trabalho em termos de atividades é que, à medida que o projeto avança, novas atividades se fazem necessárias; surgem como desdobramentos de atividades anteriores, ou emergem com uma nova lista de prioridades.

A equipe, então, questiona a utilidade das novas atividades. E, acima de tudo, paira uma sensação frustrante de que as atividades são intermináveis.

Por isso mesmo, ao longo dos últimos 50 anos, gerentes de projeto verificaram que é melhor pensar o trabalho do projeto em termos de entregas e não de atividades.

PREMISSAS, ENTREGAS E RESTRIÇÕES

Se pensarmos primariamente o projeto em termos de entregas, ou seja, de ações concretas e tangíveis a serem produzidas pela equipe, daremos mais estabilidade e motivação para cada um organizar seu trabalho da melhor forma.

Na prática, a equipe não deixa de executar atividades, porém, seu foco muda para as entregas sendo produzidas. As atividades realizadas são aquelas suficientes e necessárias para garantir as entregas, não mais uma lista tirada da imaginação – muitas vezes prolixa – de alguém.

Nessa seção do canvas, tornaremos visível como o trabalho será feito, as entregas e as condições para produzi-las (premissas e restrições).

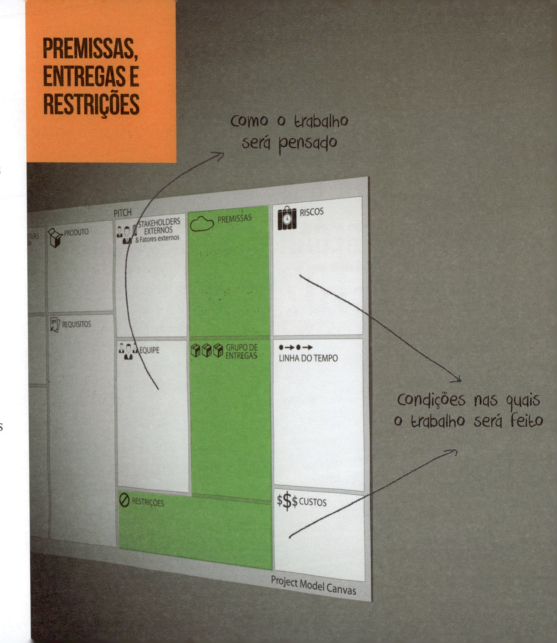

como o trabalho será pensado

condições nas quais o trabalho será feito

PREMISSAS O planejamento do trabalho no projeto é feito em condições de incerteza. Lembre-se de que criar um plano de projeto é, em parte, um exercício de "futurologia". Além disso, temos que reconhecer que a esfera de controle e influência do gerente de projeto sobre fatores, pessoas e organizações que afetam o projeto é normalmente restrita.

Assim, para prosseguir no esforço de planejamento e fazer promessas relativas ao custo e ao tempo, só nos resta assumir algumas suposições sobre um cenário futuro e relativamente incerto.

Faz-se necessário, em especial, formular suposições sobre componentes que não estão sob o controle e a influência do gerente de projeto, como os *stakeholders externos* e os fatores externos. Apenas podemos supor o que esperamos de cada um deles, em relação ao projeto.

Tais suposições, dadas como certas no plano do projeto, são chamadas de premissas.

As premissas, quando assinadas pelos *stakeholders* envolvidos, blindam o gerente de projeto e garantem que as promessas de tempo e de custo só valem, enquanto as premissas valerem e forem verdadeiras.

Uma vez que uma ou mais premissas que sustentem o planejamento se mostrarem falsas, também as promessas feitas a partir das premissas deverão ser reavaliadas e renegociadas. Provavelmente, o plano terá de mudar.

Ilustremos com um projeto de construção de uma nova unidade de uma fábrica, na cidade de Manaus. Na página seguinte estão algumas das premissas que a equipe desse projeto poderia ter formulado.

EXEMPLOS DE PREMISSAS

> Do momento presente até o final do projeto, teremos um regime de chuvas típico dessa época do ano, com um desvio máximo de 10%

> A tecnologia do trator Yuga 300, compacto mas potente, permite trabalhar 100 m² de terreno por dia

> O índice médio de absenteísmo para trabalhadores da construção civil, na cidade de Manaus, é de 5%

> Até o final do ano, o dólar não irá ultrapassar o limite de $2,80

Essas premissas protegem o gerente de projeto e fornecem uma base para ele poder planejar. Em outras palavras, tudo correrá como planejado, e o projeto terá êxito, *contanto que as condições acima estejam plenamente satisfeitas.*

Se houver temporais e inundações muito acima da média prevista; se o trator, de fato, não trabalhar dentro dos limites operacionais informados pelo fabricante; se uma epidemia acarretar muitas faltas dos trabalhadores; ou ainda se eventos internacionais levarem a uma grande alta do dólar, o gerente de projeto não poderá ser responsabilizado.

Como se nota no exemplo anterior, as premissas são formuladas de forma *afirmativa*, são premissas que *viabilizam o projeto*, administrando-se

PREMISSAS DE TEOR ADVERSO QUE DEVEM SER EVITADAS

apenas o risco de elas não serem verdadeiras.

Cuidado! Deve-se escrever nas premissas aquilo que contamos para viabilizar o projeto. Evite redação incorreta das premissas como aquelas de teor adverso representadas na figura *Premissas de teor adverso que devem ser evitadas*. Elas podem dar margem a uma interpretação errada pelo patrocinador: mesmo que a carga seja perdida, mesmo que haja inundação, e ainda que a Receita Federal entre em paralisação, a promessa de tempo e de custo será mantida. Ora, nem sempre essa é a intenção do gerente de projeto e nem sempre isso será possível.

ENTREGAS Para gerar o produto, serviço ou resultado final de um projeto é necessário pensar, primeiro, em seus componentes, as partes menores que, uma vez integradas, garantirão que o projeto seja concluído.

Essas partes são chamadas de **entregas do projeto** e têm por característica serem tangíveis, palpáveis, mensuráveis e verificáveis.

De fato, cada hora ou minuto de trabalho realizado no projeto tem que estar a serviço de alguma entrega e contribuir para ela. Essa maneira bastante prática de enxergar as coisas pressupõe que todo trabalho no projeto, por menor que seja, deve levar à produção de algo concreto. Não existe trabalho "solto" no projeto, sempre estará vinculado a uma entrega precisa.

Se, por exemplo, pensarmos no projeto de construção de uma casa, este compreenderá algumas entregas facilmente identificáveis:

» A fundação;
» A alvenaria;
» A cobertura;
» O acabamento.

Outras entregas são mais sutis e um conhecimento profundo do trabalho a ser realizado será necessário para que se possa apontá-las, por exemplo:

» O licenciamento da casa e da construção junto às autoridades municipais;
» O contrato com o empreiteiro;
» O comissionamento da obra (o trabalho de mostrar ao cliente que tudo foi construído conforme requerido, que está tudo funcionando, e de passar a casa para as mão e o controle do cliente).

Dada a necessidade de conhecimento detalhado para definir as entregas menos evidentes, o gerente de projeto que está criando o canvas perceberá, rapidamente, como é útil trazer para o time pessoas que possuam familiaridade com o trabalho técnico a ser realizado. Normalmente, são os técnicos mais experientes da equipe. Aproveite esse momento para reconhecê-los e dar oportunidade para que contribuam ativamente no planejamento.

AS ENTREGAS DE UM PROJETO

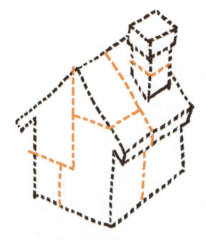

O PRODUTO
Inicialmente, enxerga-se o projeto concluído como um produto único

DECUPANDO
O passo seguinte é compreender como o projeto poderá ser dividido em diferentes entregas

ENTREGAS
Finalmente, essas entregas serão atribuídas aos diferentes membros da equipe de acordo com as suas especialidades

Simplificar e agrupar as entregas pode tornar o projeto mais compreensível para os *stakeholders*

Ao invés de se preocupar em ser exaustivo e em encher de entregas o canvas, tente focar nas entregas mais relevantes, e nos grandes grupos de entregas. Pense que você quer que os *stakeholders* entendam a lógica do projeto. E ninguém consegue vislumbrar e manter na cabeça um número excessivo de entregas, durante o esforço de compreensão do modelo.

Utilizando uma analogia, o gerente de projeto deseja que os *stakeholders* enxerguem a floresta e não somente um agrupamento de árvores individuais. Seu esforço, na construção do canvas, é tornar visível o resultado daquilo que se vai produzir e também onde cada entrega se encaixa em relação às demais que serão produzidas.

Em síntese, na posição de gerente de projeto, mantenha o número de entregas reduzido e adequado para seu projeto, mesmo que, para isso, seja preciso:

» Simplificar;
» Agrupar entregas pequenas em entregas maiores;
» Organizar grupos de entregas.

DICA

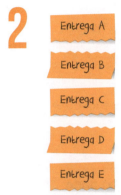

Ao contrário de outros campos do canvas, onde os post-its são colados livremente, no caso das entregas deve-se manter o formato colunar. Isso vai facilitar a organizar a linha do tempo, mais adiante

Uma maneira prática de ganhar espaço na coluna de entregas é cortar os post-its de tamanho original 10 cm x 7,5 cm, deixando-os com uma altura de 2,5 cm

RESTRIÇÕES

São limitações de qualquer origem, impostas ao trabalho realizado pela equipe, que diminuem sua liberdade de opções.

Algumas restrições são originadas em entidades externas, ao passo que outras emanam de membros da equipe ou de componentes internos ao próprio projeto.

Um projeto sem restrição nenhuma teria recursos infinitos e tecnologia perfeita. Por exemplo: se não houvesse restrições, a viagem à Lua demoraria 1 minuto!

Por outro lado, um número excessivo de restrições arrisca inviabilizar o projeto.

Pode também ocorrer de, num dado momento, durante a execução do projeto, uma restrição se pronunciar mais do que as outras, tornando-se um gargalo que freia o avanço do projeto.

Assim, a equipe deve analisar quais restrições incidirão em que momentos do projeto e pensar em soluções viáveis que respondam a elas. Isso é fundamental para estimar a real velocidade em que o projeto se move, e, se necessário, aumentá-la.

São exemplos de restrições:
» **Restrições com relação ao período em que o trabalho pode ser feito;**
» **Limitações em relação à quantidade de pessoas e de equipamentos que podem ser alocados no projeto;**
» **Restrições com relação à logística e à movimentação de materiais e cargas;**
» **Restrições com relação ao descarte de resíduos gerados pelo projeto;**
» **Contratos que devem ser seguidos com determinados fornecedores homologados;**
» **Dependências de início e término de uma entrega do projeto em relação a outras entegas;**
» **Padrões tecnológicos a serem obrigatoriamente seguidos pelos membros do projeto.**

Se, ao preencher o canvas, a equipe estiver com dificuldade de pensar em restrições, pode se autodesafiar fazendo a pergunta: por que não podemos entregar o trabalho antes, na metade do prazo, por exemplo? Os motivos que emergirem serão as restrições do projeto.

Uma dica para entender as restrições do projeto é se perguntar: por que não podemos entregar o trabalho antes?

Apesar do limite de espaço do post-it, recomendo que a equipe de elaboração do canvas evite redigir restrições vagas e incompletas, do tipo:

» Remocão de entulhos.

Uma descrição mais completa e correta seria:

» **A equipe de logística da obra só poderá remover os entulhos no período determinado pela Prefeitura do Rio de Janeiro, de segunda a sexta-feira, das 9h00 às 20h00.**

O exemplo acima revela os aspectos básicos que estão presentes numa restrição bem formulada e que, mesmo assim, pode caber em um post-it:

» **A restrição deve ser específica;**
» **É quantificada, sempre que possível;**
» **Indica quem é limitado pela restrição;**
» **Indica quem impõe a restrição.**

QUANDO O PROJETO SERÁ CONCLUÍDO E QUANTO CUSTARÁ?

Colaborando com a equipe para obter compromissos de prazo e orçamento mesmo em condições de incerteza

Vale a pena abrir um parêntese, para esclarecer o motivo pelo qual as perguntas "Quando?" e "Quanto?" ficaram para o final, na construção de nosso plano de projeto. E também para justificar o fato de elas aparecerem associadas, como se fossem "duas em uma".

Normalmente, as primeiras perguntas que o patrocinador faz são: "Quando?" e "Quanto?". Contudo, no canvas, elas são propositadamente deixadas por último, pois só podem ser respondidas com propriedade após se ter chegado a outras definições. Uma gestão eficaz prevê custos e estima um cronograma somente depois de ter clareza sobre a causa que o projeto defende, sobre o produto que será gerado, as pessoas

Tempo, custos e riscos estão intimamente associados

a serem alocadas para o trabalho, como serão feitas as entregas, etc.

Além disso, tempo e custo não podem ser dissociados, em termos de gestão. Não faz sentido fazer o acompanhamento financeiro de um projeto sem o acompanhamento físico, um perde o significado sem o outro. Cronograma e custo compartilham uma estrutura comum baseada nas entregas. Então, temos uma linha do tempo orientada por entregas e, da mesma forma, um orçamento decomposto em entregas. Ambos também compartilharão uma certa dose de incertezas.

O Project Model Canvas apresenta uma abordagem bastante simplificada do cronograma e do orçamento do projeto. Praticamente, no canvas são apresentadas ordens de grandeza da duração e do custo do projeto, apenas o suficiente para que possamos validar e integrar os elementos do plano.

É de se esperar que o canvas sirva de base de orientação para o desenvolvimento de um cronograma mais minucioso, a partir de uma ferramenta como o MS Project, por exemplo. E também que planilhas de cálculos sejam elaboradas para o detalhamento do orçamento.

A equipe pode usar também a oportunidade do trabalho colaborativo e em equipe no canvas, para firmar importantes compromissos a respeito dos prazos e dos custos do projeto.

A equipe que elabora o canvas não deve se deter diante do desafio e deve enfrentar com coragem e ousadia a tarefa de estipular durações, prazos iniciais e intervalo de valores para estimativas de custos do projeto.

RISCOS Antes de mais nada, antecipo-me a uma pergunta que provavelmente irá instigar alguns leitores: por que os riscos fazem parte do bloco de questões "quando" e "quanto", no canvas?

Ora, porque sem dimensionar riscos, é impossível dizer de maneira segura quando um projeto vai terminar e muito menos quanto irá custar.

No momento em que o planejamento é feito, tanto o cronograma, quanto o orçamento são previsões sobre um futuro incerto.

O grau de incerteza das respostas a "Quando?" e "Quanto?" é proporcional ao nível de risco do projeto.

Assim, embora a duração e o custo do projeto sejam expressos em números, sua precisão é ilusória. (Na verdade, o mais correto seria que custo e duração fossem indicados por meio de intervalos, não de valores pontuais e exatos).

Traduzindo essa interdependência entre custo, duração e risco para o método do Project Model Canvas, podemos afirmar que, quanto maior for o nível de risco estimado, maior deverá ser o intervalo adicionado à linha do tempo, assim como a reserva financeira adicionada ao orçamento.

Mas o que são exatamente os riscos do projeto e como nos proteger deles?

DEFINIÇÃO DE RISCOS DO PROJETO Quando concebemos um projeto, estamos descrevendo, com

conhecimento limitado, uma série de ações que deverão ser feitas da presente data até a entrega do projeto. As ações e as situações futuras com que contamos estão envolvidas num razoável grau de incerteza.

Nem todas as incertezas são riscos. Consideramos riscos do projeto aquelas incertezas que efetivamente importam, que podem afetar os objetivos do projeto.

A melhor proteção contra tais riscos é o ato sistemático de gerenciá-los. Assim, temos mais segurança de que os objetivos do projeto permanecerão próximos ao planejado.

Ao implantarmos um processo de gerenciamento de projetos, precisamos reconhecer o aspecto dual dos riscos do projeto: eles podem se configurar, seja como ameaças, seja como oportunidades.

Inclusive, um mesmo evento pode significar ameaça para alguns e oportunidade para outros. Tomemos o exemplo de uma grande desvalorização da moeda nacional. Trata-se de uma ameaça para um projeto cujos insumos terão que ser, em grande parte, importados, e que foi vendido por um preço fixo para o cliente, em moeda nacional. A desvalorização da moeda nacional fará com que a matéria-prima importada fique mais cara, sem que essa alta possa ser repassada ao cliente do projeto.

No polo contrário, a queda de valor da moeda nacional representa uma oportunidade para um projeto que foi vendido em moeda estrangeira, mas cuja mão de obra é toda paga em moeda nacional e cujos insumos são também comprados localmente. Nesse segundo cenário, o projeto vai aumentar sua receita em moeda nacional, sem que haja qualquer aumento de suas despesas, o que acarretará maiores ganhos para os proponentes.

É importante o gerente de projeto implantar um mecanismo de gestão de riscos com processos comuns para ameaças e oportunidades. A mesma sistemática que faz a equipe de projeto identificar ameaças e responder a elas servirá também para capturar oportunidades e aproveitá-las em benefício dos objetivos do projeto.

PROCESSO DE GERENCIAMENTO DE RISCOS O processo de gerenciamento de riscos se resume nas seguintes etapas:

- Identificar os riscos;
- Avaliar os riscos e destacar os mais relevantes;
- Desenvolver respostas para os riscos mais relevantes;
- Implantar essas respostas.

Os dois últimos pontos são cruciais. Na prática, em que nos ajudará relacionar possíveis riscos, se não tivermos à disposição medidas para mitigá-los?

Sendo o Project Model Canvas usado para conceber a lógica do projeto, não seria completo se não contemplasse os riscos. Por outro lado, temos que reconhecer que, na elaboração do canvas, nem todas as informações estão disponíveis. Portanto, o processo de gerenciamento de riscos deve continuar sendo executado, de maneira contínua e progressiva, após a finalização do canvas e durante todo o projeto.

Além disso, a equipe precisa perceber o seguinte:

RISCO GLOBAL DO PROJETO
$\neq$
RISCOS ESPECÍFICOS DO PROJETO

O RISCO GLOBAL DO PROJETO refere-se à capacidade de o projeto como um todo obter sucesso e atingir os objetivos para os quais foi criado. A GESTÃO DO RISCO GLOBAL DO PROJETO procede a uma avaliação geral, realizada no início do planejamento, sem mergulhar nos detalhes. O resultado é uma análise destinada aos patrocinadores, que podem reequilibrar o projeto alterando a abordagem de implementação, o escopo, o prazo, o custo ou as reservas. A análise do risco global do projeto indica a probabilidade de que se devolva aos *stakeholders*, na forma de valor, tudo o que foi investido. Assim, uma das decisões tomadas pode até mesmo ser o cancelamento do projeto, se os níveis de risco não estiverem adequados à política da organização.

Já os RISCOS ESPECÍFICOS DO PROJETO, são frutos de uma avaliação feita num dado momento, olhando para o futuro do projeto e identificando possíveis ocorrências específicas que podem afetar o trabalho dentro do projeto. Podem de fato estar relacionados à inúmeros fatores como por exemplo, aos equipamentos e materiais que serão utilizados, ao design do produto, a falhas que podem acontecer na obtenção de matérias-primas e assim por diante. Portanto, a gestão dos riscos específicos do projeto vasculha em detalhes os componentes internos do projeto, destaca individualmente os riscos mais significativos e desenvolve repostas para cada um deles. Os riscos específicos do projeto devem ser identificados e respondidos desde o início do projeto até a sua finalização, pois sempre podem surgir novos riscos que precisam ser individualmente identificados e solucionados.

No Project Model Canvas, ambos os tipos de risco – risco global e riscos específicos do projeto – são registrados em post-its.

A avaliação do risco global do projeto deve ser feita com cuidado, foco e atenção pois ela servirá, mais adiante, como ponto de partida para o processo de integração, destinado a ajustar e reequilibrar todos os componentes do canvas.

A identificação dos riscos específicos do projeto, por sua vez, será apenas o começo de um processo que deverá ser contínuo. No momento de elaboração do canvas é esperado que apenas uma parte dos riscos específicos estejam visíveis no momento de concepção do projeto.

Para que a diferença entre o risco global e os riscos do projeto fique mais clara, vamos imaginar como projeto concreto a realização do congresso mundial de uma especialidade médica, num país que nunca recebeu esse tipo de evento.

Pois bem, a avaliação de risco global do projeto é a seguinte: risco alto, concentrado na áreas de logística e infraestrutura. A partir desse diagnóstico global, os patrocinadores tomarão a decisão de continuar ou não com o projeto.

Já a avaliação de dois dos principais riscos específicos do projeto são:

Risco específico A: participantes não conseguirem agendar suas viagens.
Causa: poucos voos e assentos disponíveis para aquela determinada cidade.
Efeito: baixo número de participantes e perda de patrocínio.
Probalidade: alta.
Impacto: alto.
Resposta possível: negociar voos extras fretados com as companhias aéreas saindo das principais capitais mundiais.
Risco específico B: falta de salas para abrigar as palestras.
Causa: poucos locais na cidade atendem o padrão internacional e essas são disputadas por outros eventos.
Efeito: nem todos os *papers* poderão ser apresentados e os participantes verão menos palestras do que desejavam.
Impacto: alto.
Probabilidade: de média para alta.
Resposta possível: aumentar a antecedência de reserva dos locais disponíveis e construir salas móveis.

Representação do risco global do projeto no canvas

A avaliação do risco global do projeto será feita com o apoio de uma tabela, impressa em branco para facilitar.

Os participantes devem entrar em acordo sobre a classificação do risco em cada categoria da tabela.

Veja a seguir um exemplo de tabela de avaliação de risco global:

NÍVEL DE RISCO GLOBAL POR CATEGORIA

CATEGORIAS DE RISCOS	BAIXO	MODERADO	ALTO	MUITO ALTO
1 Ritmo do projeto	▬			
2 Disponibilidade dos recursos (humanos e financeiros)	▬			
3 Estabilidade da tecnologia	▬▬▬	▬▬▬	▬▬▬	
4 Complexidade do trabalho	▬			
5 Envolve processos organizacionais críticos	▬▬▬	▬▬▬	▬▬▬	
6 Saúde, segurança e meio ambiente	▬▬	▬▬		
7 Adesão dos *stakeholders*	▬			
8 Definição e entendimento do trabalho	▬			
9 Competência/experiência da equipe	▬▬	▬▬		
10 Subcontratados	▬			
AVALIAÇÃO DE RISCO GLOBAL DO PROJETO	▬▬▬	▬▬▬	▬▬▬	

Tabela meramente sugestiva.

A equipe deverá registrar essa avaliação do risco global num post-it grande ou extragrande, destacando apenas as categorias de maior risco. No exemplo apresentado na tabela anterior, a formulação no canvas seria a seguinte:

Note que a classificação do nível de risco global será a mesma da categoria de risco mais elevado. Portanto, no exemplo anterior, mesmo que sete categorias tenham sido classificadas como de risco baixo, o risco global do projeto é alto.

TRATAMENTO DOS RISCOS ESPECÍFICOS DO PROJETO NO CANVAS

De maneira colaborativa, a equipe deve investir um tempo para identificar os riscos específicos, internos ao projeto. O processo não deve ser feito apenas *pro forma* ou para "cumprir tabela".

Um boa forma de proceder é examinar os componentes que já foram colocados no canvas até esse momento, detendo-se naqueles que parecerem apresentar riscos significativos. Em seguida, transcrever aqueles que julgarem mais relevantes para post-its individuais.

A maneira com que os riscos são redigidos deve ser pensada, para não

> **RISCO GLOBAL ALTO**
> Destaque para as categorias: estabilidade da tecnologia (alto); envolve processos organizacionais críticos (alto); competência e experiência da equipe (moderado)

tornar o exercício inútil. Recomendo que sejam escritos no formato: CAUSA – RISCO – EFEITO e que seja utilizado um post-it grande para cada risco individual.

A CAUSA será sempre um fato sobre o projeto ou sobre o ambiente do projeto. O RISCO será uma falha ou oportunidade que, se ocorrer, afetará o objetivo do projeto. E o EFEITO será a reação ou impacto gerado nos objetivos do projeto.

É muito comum confundir conceitos, quando a redação é "preguiçosa" e não diferencia causa, risco e efeito.

Nas páginas seguintes, aparece escrito em um dos post-its apenas "chuva". A forma mais adequada de indicar esse risco específico no canvas seria da seguinte forma:

Causa	Fato ou condição que provoca o acontecimento do risco
Risco	Evento futuro que pode ou não acontecer revelando uma ameaça ou uma oportunidade relevante para o projeto
Efeito	Consequências em termos dos macro-objetivos do projeto

FORMAS ERRADAS DE ESCREVER OS RISCOS

Causa: ocorrência de chuvas além do que foi previsto inicialmente.
Risco: trabalho na obra interrompido por longos períodos de chuva.
Efeito: atraso da obra.
Em outro post-it ilustrado na figura *Formas erradas de escrever os riscos*, lê-se "Critérios de aceitação". No entanto, o modo completo de indicar esse risco seria o seguinte:

Causa: os critérios de aceitação do produto final do projeto não estão bem escritos.
Risco: o cliente se negar a assinar o produto final do projeto.
Efeito: dano na reputação da organização promotora frente a seu cliente e aumento de custo em decorrência do retrabalho.
Depois de terem redigido os riscos específicos da maneira adequada, usem uma classificação da probabilidade de cada risco ocorrer.

Esse tipo de classificação ajudará aos participantes da sessão de concepção do Project Model Canvas a priorizar quais riscos são mais relevantes e que merecem uma resposta ainda no planejamento.

Sugiro que da mesma maneira utilizem uma escala para os impactos negativos dos riscos.

Você deve ter observado que a escala das tabelas anteriores não é linear. Isso é proposital, a fim de dar maior peso a eventos com alta probabilidade, em detrimento de eventos com baixa probabilidade. Posteriormente, os números atribuídos à probabilidade e ao impacto dos eventos de risco serão combinados e, dependendo do resultado, uma estratégia de resposta diferente será adotada. Por exemplo, riscos com impacto alto e probabilidade alta devem ser prevenidos, já riscos com probabilidade baixa e impacto baixo podem ser aceitos passivamente. O assunto será abordado com detalhadamente mais adiante, no capítulo "Integrar".

Mas, por enquanto, tudo o que a equipe precisa fazer é registrar na parte inferior dos posts a

CLASSIFICAÇÃO DOS RISCOS DO PROJETO DE ACORDO COM A CHANCE DE OCORREREM

Escala de probabilidade dos riscos do projeto				
Risco. Ex: Obra paralisada por chuva	Baixa 1	Moderada 3	Alta 6	Muito Alta 10

Utilize uma escala similar para os impactos negativos dos riscos:

Escala de impacto negativo do risco				
Sobre o objetivo do projeto	Baixo 1	Moderado 3	Alto 6	Muito Alto 10
Sobre os custos	Aumento de até 5%	Aumento de 5,01% até 10%	Aumento de 10,01% a 20%	Aumento acima de 20,01%
Sobre o cronograma	Atraso de até 5%	Atraso de 5,01% até 10%	Atraso de 10,01% até 30%	Atraso acima de 30,01%
Sobre o escopo	Redução imperceptível	Partes pouco importantes afetadas	Sistemas críticos afetados	Produto final não serve para o cliente
Sobre a qualidade	Degradação imperceptível	Degradação de itens não prioritários	Degradação de qualidade significativa	Produto final sem uso

probabilidade de cada risco ocorrer e o nível de seu impacto sobre o projeto.

O impacto dos riscos específicos no projeto deve ser avaliado tomando como base o impacto em cada um dos objetivos do projeto. No caso de os impactos terem níveis diferentes, adotamos, por conservadorismo, o impacto mais grave.

FORMA CORRETA

> CAUSA: ocorrência de chuvas além do que foi previsto inicialmente
>
> RISCO: trabalho na obra interrompido por longos períodos
>
> EFEITO: atraso da obra
>
> PROBABILIDADE: 3   IMPACTO: 7

Bloco "Riscos", no canvas, constando na parte de baixo dos papéis autocolantes a probabilidade de ocorrência e o grau de impacto daquele risco.

LINHA DO TEMPO Quanto vai durar um projeto? Essa é, talvez, a pergunta mais dramática no planejamento.

Cronogramas são quase como obras de ficção cientifica. O prazo de um projeto é a somatória do "chute" de duração dado para cada um dos múltiplos fragmentos de trabalho do projeto, alguns do quais nunca fizemos e a cargo de pessoas que ainda não sabemos quem são, com disponibilidades que desconhecemos.

Muitos gerentes de projeto e patrocinadores acreditam que o aumento na precisão (nível de detalhamento) com que as tarefas são descritas aumenta proporcionalmente a acurácia da previsão de duração do projeto.

Infelizmente, isso não é verdade: o cronograma é um modelo do futuro, quanto mais simples o mantivermos, melhor.

No entanto, qual é a pior resposta que poderíamos dar com relação ao prazo do projeto? É: "Eu não sei"! Não estipular um prazo para o projeto é simplesmente inaceitável.

Quando falamos que NÃO SABEMOS NADA sobre quanto irá durar um projeto, o grau de incerteza é máximo. Nessas condições, nenhuma decisão de negócio pode ser tomada.

Por outro lado, não podemos pensar que a precisão absoluta seja necessária para compromissar prazos.

O prazo de projeto pode ser estabelecido por meio de uma medição baseada no julgamento das pessoas que estão elaborando o canvas e de acordo com a quantidade de informação que já possuem.

Hubbard (2010) define medição como sendo um conjunto de observações que reduzem a incerteza, onde o resultado é expresso como uma quantidade.

Ao estipular um prazo para o projeto, estamos reduzindo o nível de incerteza para um nível onde algumas decisões possam ser tomadas. Mas note que estamos reduzindo a incerteza e não a eliminando por inteiro, pois isso seria impossível.

O que se constrói no canvas, no bloco "Linha do tempo", não se parece com um cronograma convencional.

Trata-se, antes, de uma lista de compromissos.

Não é fácil estimar a duração de um projeto. Cronogramas são quase como obras de ficção

Compromisso é uma data-limite acordada para que sejam produzidas determinadas entregas.

Se um compromisso estiver fixado no dia 15 de fevereiro, por exemplo, não significa que o responsável só fará seu trabalho nesta data, nem que realizará a entrega necessariamente neste dia, apenas que ele sabe que esse é o limite temporal máximo para a entrega.

Mas e durante a execução, não precisaremos de mais detalhes?

Sim, um cronograma mais detalhado pode ser feito seguindo fundamentos da prática de gerenciamento de projetos. Você encontrará mais informações sobre os cuidados para derivar um cronograma a partir do Project Model Canvas no capítulo "Compartilhar".

Um cronograma apresenta um nível a mais de detalhamento em relação ao canvas, especificando a coordenação de trabalho entre os diversos recursos (pessoas e equipamentos) existentes no projeto.

Mas, mesmo no cronograma, tome cuidado para não exagerar no nível de detalhe.

> O cronograma é um boneco simplificado da realidade, não é a própria realidade. Você olha para o boneco para ter uma visão abrangente e esquemática da realidade.

Um cronograma deve fornecer ao gerente o fluxo de trabalho entre os grupos de recursos, permitir notar como o trabalho é passado de um determinado recurso para os demais.

O cronograma não é um checklist (lista de verificação) que serve para lembrar o trabalho a ser feito. Isso, se necessário, deve aparecer nas tarefas que constam nas instruções de trabalho dos técnicos.

O MUNDO DAS TAREFAS E O MUNDO DO COMPROMISSO

Aprendi com Goldratt (1997) que a precisão de uma estimativa de duração é frágil. A gestão da execução aproxima a realidade e a estimativa. Se, por princípio, qualquer prazo dado a um projeto é irreal, a gestão da execução torna o prazo realista. Um dos quesitos para uma boa execução é mudar o estado mental da equipe, passando da orientação por tarefas à orientação por compromisso de resultado.

Mas como mudamos o estado mental da equipe?

Ao invés de fornecer instruções detalhadas das atividades, envolvemos os formadores de opinião da equipe na elaboração do canvas e, em conjunto, estabelecemos compromissos sobre entregas que podem ser concluídas em cada quarto do projeto.

A LINHA DO TEMPO DIVIDIDA EM QUARTOS

Para não postergar demais o estabelecimento de compromissos de datas, devido às excessivas quantidades de opções e análises detalhadas pendentes, e a fim de ajudar a equipe que está montando o canvas a vencer o dilema da estagnação, sugiro uma estratégia simplificadora: a divisão da linha do tempo do projeto em 4 partes, como mostra a figura *Como organizar a Linha do tempo*.

DOIS ESTADOS MENTAIS DA EQUIPE: TAREFA E COMPROMISSO

ESTADO MENTAL "TAREFA"	ESTADO MENTAL "COMPROMISSO DE RESULTADO"
A soma das durações das tarefas determina o compromisso que pode ser assumido	As tarefas são subordinadas ao compromisso
A duração tem de ser respeitada	A data de término tem de ser respeitada
Faça sua própria tarefa no prazo e os outros que tratem de cumprir seus prazos	Fazemos coalizões e parcerias para atender o compromisso de entrega
O prazo técnico está no comando, os demais são subordinados a ele	As tarefas são readaptadas para atender ao compromisso
A duração de nossa tarefa é fixa, se os outros atrasarem, nós atrasaremos também	Todos monitoram seus parceiros; trocam informações e se reajustam para cumprir a data final
O trabalho se expande para aproveitar a duração máxima dada	O trabalho é simplificado para atender a data de compromisso
Técnicos listam atividades que devem ser feitas para produzir a entrega	Sem punições por não cumprir tarefas, o foco recai na entrega, no final no compromisso

CUSTOS No Project Model Canvas, ao invés de calcular com precisão e detalhes o valor do orçamento do projeto, preferimos estimá-lo de maneira resumida, identificando os custos por entrega ou grupos de entregas.

Podemos também, de maneira aproximada, decompor os custos de cada pacote de trabalho em alguns elementos, incorporando ao total do projeto, no final, uma reserva proporcional ao seu risco.

No momento de elaboração do canvas, o mais importante é que a equipe pense de maneira integrada sobre o orçamento, não sendo ainda necessário firmar um valor exato e definitivo para ele.

O resultado pode ser apresentado em termos de ordem de grandeza, ou, melhor ainda, na forma de um intervalo de possíveis valores para o orçamento, convidando a equipe a pensá-lo com maior precisão, posteriormente.

Tenha sempre em mente a regra KISS, tão popular entre os gerentes de projeto: *keep it simple, stupid!* (traduzida para o português seria algo como: "Simplifique as coisas, idiota!"). Apesar da aparente agressividade da expressão, contém uma sugestão preciosa: apresentar os custos de modo que até os menos experientes da equipe sejam capazes de entender.

Visando à simplificação, recomendo que o custo de projeto seja calculado da seguinte forma:

1) Deve ser estruturado por entregas;
2) O custo de cada entrega pode ser desdobrado em elementos de custos, como por exemplo mão de obra e insumos;
3) Os riscos precisam ser analisados e, se forem elevados, aumenta-se proporcionalmente a reserva de contingência.

Uma outra escolha recorrente para a decomposição dos elementos de custo do projeto, são estas três categorias:

- **Trabalho**
- **Materiais**
- **Contratações**

Essas são apenas sugestões, pois cada equipe pode personalizar os elementos de custos nos quais as entregas serão decompostas, de acordo com as especifidades do projeto e com a cultura organizacional.

CUSTO DO PROJETO

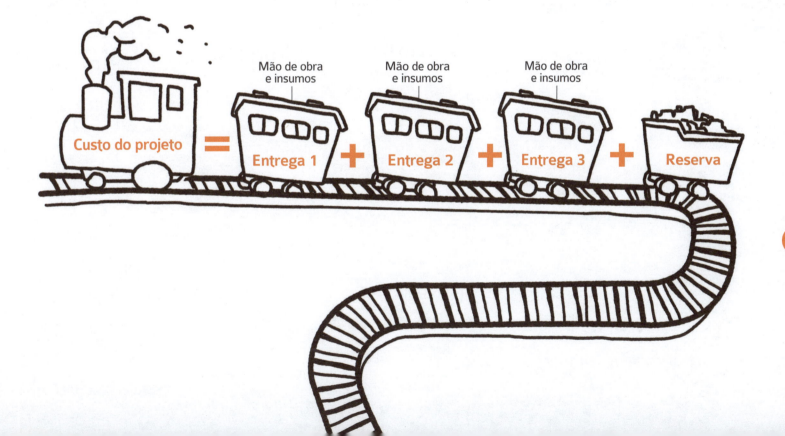

EXEMPLO: PROJETO DE UMA DIETA

Pensando o projeto por meio das questões fundamentais

1 COMECE COM O PITCH

Você deveria começar seu projeto simplificando-o de maneira tão radical que caiba em uma única sentença. Se esse trabalho for bem feito, será muito simples de colocar essa sentença na sua mente e na mente dos demais *stakeholders*.

Como ilustração tomaremos um longo e difícil projeto que é iniciado repetidamente todo dia por milhões de pessoas em todo o mundo, o pitch dele poderia se parecer com o seguinte:

Pitch:
PROJETO EU MAGRO!

Vamos olhar como o Project Model Canvas desse projeto poderia ser estruturado, para isso responderemos às perguntas fundamentais.

GP EU

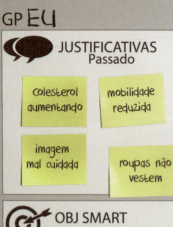

JUSTIFICATIVAS
Passado

- Colesterol aumentando
- mobilidade reduzida
- imagem mal cuidada
- roupas não vestem

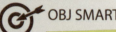

OBJ SMART

Emagrecer 10 kg com saúde até 28.fev, tendo apoio multidisciplinar e incorporando hábitos saudáveis, gastando até R$ 6.500

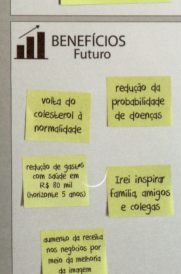

BENEFÍCIOS
Futuro

- volta do colesterol à normalidade
- redução da probabilidade de doenças
- redução de gastos com saúde em R$ 80 mil (horizonte 5 anos)
- Irei inspirar família, amigos e colegas
- aumento da receita nos negócios por meio da melhoria da imagem

2 POR QUE O PROJETO DEVE SER REALIZADO?

Essa é a pergunta primordial que de certa forma subordina as demais perguntas.

Para respondê-la devemos examinar a situação atual com dores, problemas e necessidades por atender e mostrar que o projeto é o elemento de transformação que nos levará para uma realidade futura melhor com geração de valor.

 **JUSTIFICATIVAS**

Nas **JUSTIFICATIVAS** podemos colocar os problemas da situação atual ou demandas não atendidas da nossa organização e que motivam a realização do projeto

- Colesterol aumentado
- Mobilidade reduzida
- Imagem Mal cuidada
- Roupas não vestem

OBJ SMART

O OBJETIVO DO PROJETO deve ser escrito de maneira específica, mensurável, alcançável realista e delimitada no tempo. A realização do objetivo do projeto será suficiente e necessária para nos transportar da situação atual descrita nas justificativas para a situação futura com a geração de valor descrita nos benefícios. O objetivo do projeto nos dá uma visão generalizada e delimita em alto nível suas fronteiras

> Emagrecer c/ saúde 10kg até 28/fev, tendo apoio multidisciplinar e incorporando hábitos saudáveis, gastando até $6500.

BENEFÍCIOS

Os BENEFÍCIOS devem descrever a geração de valores conquistados pela organização promotora no futuro após a implantação do projeto. Numa empresa comercial é comum que inclua tópicos como: aumento de receitas, diminuição de custos, melhor eficiência no uso dos ativos e melhorias da imagem da empresa. Os benefícios podem também mencionar o atendimento dos objetivos estratégicos da organização

- Volta do colesterol à normalidade
- Redução gastos c/ saúde em $80mil (horizonte 5 anos)
- Irei inspirar família, amigos e colegas
- Aumento da receita nos negócios por meio da melhoria de imagem
- Redução de probabilidade de doenças

3 O QUE O PROJETO PRODUZ?

Todo projeto gera produtos, serviços ou resultados que atendem as reais necessidades de seus clientes.

É de fundamental importância que nas etapas iniciais do planejamento tenhamos entendido pelo menos em alto nível as características do produto do projeto desejado pelo cliente, essas expectativas devem ser registradas formalmente como requisitos.

 PRODUTO

O **PRODUTO** do projeto é único no sentido que nunca foi feito exatamente dessa maneira antes. Um projeto pode também gerar um serviço ou resultado único

📋 REQUISITOS

Os **REQUISITOS** estão intimamente ligados com a qualidade que o produto, o serviço e/ou o resultado precisam apresentar para terem valor para o cliente.

Esses podem ser aspectos físicos ou funcionalidades que o produto pode oferecer

- IMC não deve ficar acima de 25
- Percentual de gordura corporal deve ficar menor que 24
- Nova rotina incorpora 30 min de esportes 5 vezes por semana
- Dieta adquirida deve ficar em 2000 cal/dia
- Novo hábito alimentar rico em fibras, pobre em gordura e açúcar

119

4 QUEM ESTÁ E QUEM NÃO ESTÁ NO PROJETO?

Um projeto possui *stakeholders* ou intervenientes, esses são pessoas ou organizações interessadas, afetadas ou envolvidos no projeto.

Os *stakeholders* podem ser da equipe que trabalha diretamente no projeto, efetuando as entregas, quanto pessoas ou organizações externas ao projeto e que mesmo sem realizar nenhum trabalho diretamente, de alguma maneira interagem com o projeto, entre esses últimos destacam-se o cliente que recebe o produto do projeto e o patrocinador que prove recursos para o projeto.

STAKEHOLDERS EXTERNOS & FATORES EXTERNOS

Os *STAKEHOLDERS EXTERNOS* não estão subordinados ao gerente de projeto e estão fora de sua esfera de controle.

FATORES EXTERNOS que afetam o projeto também podem ser listados para que com frequência sejam monitorados

EQUIPE

EQUIPE são todos aqueles que trabalham e efetuam entregas do projeto

Podemos considerar da equipe terceiros que efetuam entregas do projeto e são gerenciados pelo gerente de projeto

- Eu (gerente do projeto)
- Médico
- Nutricionista
- Treinador físico

5 COMO O TRABALHO SERÁ ENTREGUE NO PROJETO?

Para que uma equipe colabore com eficiência se faz necessário que cada membro ou grupos de membros tenham algo concreto de sua responsabilidade para entregar.

O projeto dessa maneira pode ser decomposto em entregas tangíveis, palpáveis, mensuráveis as quais podem, se preciso for, ser decompostas em entregas menores e mais gerenciáveis.

Para planejar adequadamente é necessário entender as condições nas quais as entregas serão produzidas, muito bem explicado na redação das premissas e restrições do projeto.

 PREMISSAS

As **PREMISSAS** são suposições arbitrariamente dadas como certas sobre o ambiente externo e fatores externos ao projeto, os quais não estão sob o controle do gerente de projeto

Colegas de trabalho irão apoiar a nova atitude abstêmia

Teremos mais de 90% dos dias de treinamento sem chuva pesada.

📦📦📦 ENTREGAS

ENTREGAS são os componentes concretos, tangíveis e mensuráveis produzidos pelo projeto e que se integrados constituirão tudo que é produzido no projeto. Podem ser entregas finais ou intermediárias

1. Gestão do projeto

2. Apoio médico

3. Reeducação alimentar

4. Aquisições

5. Exercícios físicos

⊘ RESTRIÇÕES

RESTRIÇÕES são limitações de qualquer natureza e origem impostas ao trabalho realizado pela equipe de projeto

Não posso gastar mais que $6500 nos 4 meses de programa

O treino terá de ser fora do horário comercial

50% do treino tem que ser na academia do meu condomínio

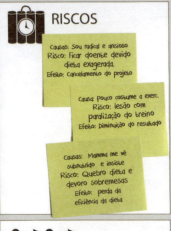

Project Model Canvas

6 QUANDO O PROJETO SERÁ ENTREGUE E QUANTO CUSTARÁ?

Considerando a magnitude de incertezas existentes, quando o projeto deverá ser entregue e quanto custará?

Para fazer promessas de tempo e custo é preciso ter uma visão do compromisso de término de cada entrega e também uma estimativa de custo de cada uma delas.

De acordo com o grau de risco é possível dimensionar reservas financeiras e também acrescentar tempo extra nos cronogramas para absorver as variações.

 RISCOS

RISCOS são eventos futuros, e incertos que tem relevância para os objetivos do projeto. Devem ser identificados, analisados e para os mais significativos devemos implantar respostas

Causa: pouco costume a exerc.
Risco: lesão com paralisação do treino
Efeito: diminuição do resultado

•→•→ **LINHA DO TEMPO**

Se dividíssemos o prazo do projeto em 4 segmentos qual compromisso poderia ser estabelecido com a equipe sobre as entregas ao longo desse tempo?

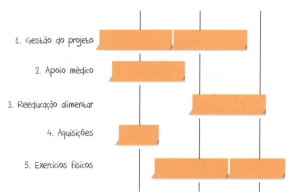

1. Gestão do projeto
2. Apoio médico
3. Reeducação alimentar
4. Aquisições
5. Exercícios físicos

Causa: Mamma me vê subnutrido e insiste
Risco: quebro dieta e devoro sobremesas
Efeito: perda da eficiência da dieta

$$$ **CUSTOS**

Quanto gastaríamos de mão de obra, materiais, equipamentos e serviços em cada entrega?
Em qual intervalo de valor situam-se as estimativas de custos do projeto?

1 $90(mat.) +$300(m.obra) ——— $390
2 $1.110(serviços) ——— $1.110
3 $750(mat.) + $450 (serv) ——— $1.200
4 $500(mat.) +$1000(eqpto) ——— $1.500
5 $1.400(serviços) ——— $1.400
+ reserva ——— $560
Total ——— $6.160

4
INTEGRAR

COMO "COSTURAR" UM PLANO DE PROJETO?

Entendendo as conexões do modelo mental

Durante muito tempo, vi alunos em cursos de gerenciamento de projetos fazendo planos de projeto em equipe da seguinte forma: cada um ficava incumbido de elaborar um dos artefatos que constituem um plano convencional, como a declaração de escopo, o cronograma ou o orçamento.

O resultado era quase sempre catastrófico. Aquilo que se afirmava no cronograma revelava-se inconsistente com o orçamento, por exemplo; e outros documentos eram incompatíveis entre si.

O que faltava, ali, era a função de integração, ou seja, a amarração dos diversos componentes, de modo que façam sentido uns em relação aos outros, e como conjunto.

O nosso canvas também não é imune a inconsistências. É resultado da interação de pessoas, de um fluxo de ideias, pensamentos e debates que são, a princípio, gerados separadamente, na elaboração de cada um dos blocos de componentes.

O processo de integração vai tornar o modelo mental representado no canvas mais forte. Ele será feito por meio de amarrações de dois ou três blocos por vez, dando uma segunda chance de a equipe articular e agrupar melhor suas ideias.

É interessante que a etapa de integração seja feita imediatamente após o término da etapa de concepção, porque a equipe ainda está "aquecida", com o problema em mente.

PROTOCOLO DE INTEGRAÇÃO

Ações de verificação para tornar o plano mais forte

A metodologia Project Model Canvas fornece um Protocolo de Integração, um conjunto de verificações predeterminadas e que são feitas numa sequência coesiva.

São apresentados, nesse capítulo, os passos desse protocolo. Cada passo corresponde a uma pergunta principal que pode acarretar ajustes no plano do projeto, dependendo das respostas. Mas nada impede os praticantes de o enriquecerem com novas integrações não abordadas aqui.

PASSO 1: os pontos mencionados nas justificativas são sanados?

Os problemas que originaram o projeto são solucionados, no plano concebido no canvas?

O primeiro lugar onde iremos verificar isso é o bloco "Benefícios". Devemos checar se algum(ns) benefício(s) gerado(s) combate(m), de fato, o problema mencionado no bloco "Justificativas".

A solução pode estar também nos "Requisitos" do produto ou até mesmo em uma "Entrega". Não importa onde esteja no canvas, o que importa é que todos os problemas mencionados no primeiro bloco sejam resolvidos nos demais blocos do canvas.

PASSO 2: o "Objetivo" se revela suficiente e necessário?

Cheque se a realização do objetivo mencionado é suficiente para superar o passado descrito nas "Justificativas" e atingir a situação futura almejada no bloco "Benefícios".

OS 8 PASSOS DO PROTOCOLO DE INTEGRAÇÃO

1 Os pontos mencionados nas JUSTIFICATIVAS são sanados?

2 O OBJETIVO se revela suficiente e necessário?

3 Todos os REQUISITOS "têm dono" e definem o produto?

4 Estão subordinados ao projeto aqueles que precisam estar?

5 Obtivemos convergência formulando PREMISSAS válidas?

6 As limitações aplicáveis ao trabalho estão identificadas na forma de RESTRIÇÕES?

7 Os RISCOS cobrem o que já sabemos do projeto e vislumbram, ao mesmo tempo, o que ainda não sabemos?

8 O cronograma e o orçamento estão orientados por entregas?

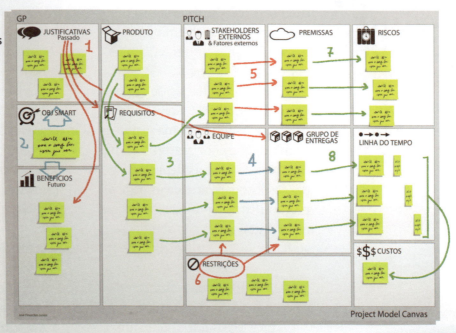

Analise se está faltando enriquecer o objetivo SMART com alguma menção relevante.

Em seguida, veja se tudo o que foi mencionado no objetivo SMART é realmente necessário para a obtenção dos benefícios. Existe alguma coisa que está agregada ao objetivo SMART, mas parece não estar ligada ao objetivo? Seria o caso de enriquecer a "Justificativa" e os "Benefícios" ou de remover o elemento do objetivo SMART? Responda com calma a essas perguntas, olhando para os post-its do canvas.

PASSO 3: todos os "Requisitos" "têm dono" e definem o produto?

Aqui, um outro conjunto de questões deve ser formulado: cada requisito mencionado refere-se ao produto descrito? Se a resposta a essa pergunta for negativa, será que se trata mesmo de um requisito ou é apenas uma restrição mal-posicionada no bloco "Requisitos"?

Existe algum produto do projeto que não foi mencionado na parte dos requisitos?

O "dono" de algum requisito está listado no campo "*Stakeholders Externos*"? Nesse caso, é bem provável que ele seja o cliente do projeto. Anote essa identificação no *stakeholder*.

Há mais de um "dono" de requisitos? Caso afirmativo, numere-os para poder relacionar quem é o "dono" de cada requisito.

E ainda uma última compatibilização: observe se os requisitos estão ordenados no canvas de acordo com a prioridade. Se não estiverem, trate de priorizá-los.

PASSO 4: estão subordinados ao projeto aqueles que precisam estar?

Em primeiro lugar, cheque se o patrocinador do projeto está identificado e se ele se posiciona na esfera de influência do gerente de projeto. Isso é altamente desejável, pois, na eventualidade de falta de recursos, o gerente terá que recorrer ao patrocinador – seja para prevenir a perda de recursos, seja para solicitar maior aporte de recursos ao projeto.

É igualmente importante verificar se o cliente do projeto está indicado.

Observe, então, se o papel do gerente de projeto está destacado na equipe.

A próxima pergunta a responder é: existe alguém incluído na equipe que não contribui para, pelo menos, um dos grupos de entregas?

É recomendável que os post-its do componente "Equipe" sejam individualmente relacionados com os post-its das "Entregas". Se preciso, coloque uma numeração nos posts de um e de outro bloco, para estabelecer relações e referências entre eles.

Como já afirmei anteriormente, para diminuir o risco do projeto, os responsáveis pelas principais entregas devem estar dentro da esfera de controle do gerente de projeto.

Quando isso não é possível, o projeto pode acabar prejudicado. Compare, abaixo, a duração do projeto A, no qual os recursos humanos estão subordinados ao gerente de projeto, e aquela do projeto B, em que alguns dos

INFLUÊNCIA DA EQUIPE SOBRE O CRONOGRAMA

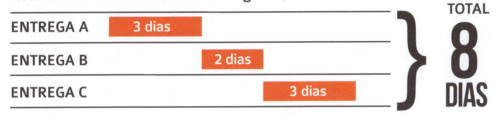

membros da equipe estão fora da influência do gerente de projeto.

Fica mais difícil prever qual a duração do projeto quando parte dos recursos humanos desaparece do projeto (para trabalhar em outro projeto) por um tempo indeterminado.

PASSO 5: obtivemos convergência formulando premissas válidas?

Quando se está no presente e se olha para o futuro, vislumbram-se infinitos cenários para o projeto. Como já afirmei antes, ao escrever premissas, estamos reduzindo cenários e afirmando para os *stakeholders* que somente nessas condições nosso plano vai funcionar.

Para verificar se suas premissas estão bem formuladas e abrangentes, antes de mais nada, você deve questionar cada um dos posts do bloco "*Stakeholders* e Fatores Externos".

O que contamos que será provido por cada um dos *stakeholders* externos ao projeto? No âmbito de quais parâmetros dos fatores externos nosso plano vai funcionar? Tudo isso tem de estar escrito como premissa. Caso não esteja, esse é o momento de complementar, acrescentando post-its ao canvas.

Qual deve ser o comportamento dos *stakeholders externos* ao lhes passarmos as entregas ou o produto final do projeto? Essa resposta também é fonte de premissas.

Fatores tecnológicos importantes e de produtividade da mão de obra foram lembrados? Que premissas faltou escrever sobre eles?

Quais são as condições iniciais para que o trabalho no projeto possa começar? Quem deve prover a condição inicial? Não apenas as condições iniciais precisam estar listadas como premissas, como o responsável por providenciá-las deve vir relacionado como *stakeholder* externo.

Quem são os *stakeholders* que liberam recursos para o projeto? Eles estão todos identificados? As condições de liberação e alocação dos recursos estão documentadas como premissas?

Por fim, convém revisar a redação das premissas, que nem sempre está completa.

PASSO 6: as limitações aplicáveis ao trabalho estão identificadas na forma de restrições?

Já afirmei anteriormente que tudo que limita a equipe e seu trabalho deve estar listado como restrição. Para que o plano de projeto fique consistente, cada uma das restrições deve ser relacionada a pelo menos um desses elementos:

» **Um ou mais membros da equipe;**
» **Uma ou mais entregas do projeto;**
» **Ao projeto como um todo.**

Portanto, para realizar a integração desse bloco, percorre-se cada restrição escrita nos posts e pergunta-se sobre quais membros da equipe se aplica, a quais entregas se refere ou se ela se aplica ao projeto inteiro.

Fazemos da maneira inversa também: repassamos cada entrega e tentamos pensar se não está faltando nenhuma restrição significativa vinculada a ela. Se estiver, acrescentamos ao canvas.

Inventariamos, em seguida, o componente "Equipe", perguntando se existe algo que limita cada papel específico e que mereça ser mencionado.

Algumas restrições se constituem em verdadeiros gargalos do projeto. É fácil identificar tais restrições--gargalo, pois, se as removêssemos, simplesmente conseguiríamos fazer o projeto em menos tempo e/ou com muito mais facilidade. Potencialmente, poucas restrições podem ser candidatas a gargalo em cada momento do ciclo de vida do projeto. Identifique-as no canvas.

Uma última verificação a fazer, nesse bloco, é se porventura não se escreveu como restrição algo que, na verdade, é requisito do produto.

Tudo o que limita a equipe e seu trabalho deve estar listado como restrição

PREMISSAS MAL ESCRITAS

Gerentes de projetos preocupados em "cumprir tabela" no preenchimento de templates de planos de projeto costumam apontar como premissas elementos que não são premissas. Alguém poderia argumentar que premissas são suposições e que, portanto, o gerente de projeto tem direito de fazer as suposições que bem entender. Porém, a realidade não é bem assim: em um plano de projeto, fazemos suposições apenas sobre fatos e elementos que não serão gerenciados por nós

EXEMPLO

Premissa com problemas de formulação: não é possível identificar o que é premissa e o que é restrição

PREMISSA

Faremos 1.000 m² de pavimentação por turno com os tratores Yuga 300

SOLUÇÃO

Identificar os fatores externos, deixando claro o que é premissa e o que é restrição

FATOR EXTERNO

O rendimento dos tratores Yuga 300
(não depende do gerente de projeto)

PREMISSA

Cada trator Yuga 300 é capaz de entregar até 250 m² de pavimentação com operadores sêniors

RESTRIÇÃO 1

O gerente deverá alocar 4 tratores Yuga 300 por turno, para obter 1.000 m² de pavimentação em cada turno

RESTRIÇÃO 2

Todos os operadores de trator Yuga 300 devem ser de nível sênior

Nessa segunda formulação, mais completa e decupada, o gerente sabe quais são as suas responsabilidades e atribuições e aquilo que de fato é premissa – ou seja, que escapa a seu controle, mas ele deve monitorar

Mesmo que sejam requisitos restritivos, ou seja, aqueles que forçam o produto a ter uma determinada característica, não se trata de uma restrição do projeto, mas de um requisito do produto.

PASSO 7: os riscos cobrem o que já sabemos do projeto e vislumbram, ao mesmo tempo, o que ainda não sabemos?

Como já deve ter ficado claro a esta altura, o protocolo de integração preocupa-se com informações já existente no canvas, checando sua consistência, seu posicionamento correto nos blocos e suas relações com outros elementos do projeto.

No caso dos riscos, o primeiro lugar a inventariar é o bloco das "Premissas". Toda premissa gera ao menos um risco, que é exatamente a negação dela; é a possibilidade de a premissa ser falsa.

Se, por acaso, o risco atribuído às premissas for muito elevado (alta probabilidade, alto impacto) é o caso de se pensar em remover aquela premissa e modificar o plano de projeto.

Outro ponto importantíssimo são as entregas. Nesse item se concentra todo o trabalho realizado no projeto e também a maior parte do risco. O aconselhável, nesse caso, é fazer um brainstorming, entrega por entrega, relacionando os riscos pertinentes no canvas.

Baseados no impacto e na probabilidade atribuídos a cada risco, iremos implantar (ou não) ações que podem modificar o canvas. A tabela *Como Definir a Estratégia de Acordo com o Risco* ajuda nesse momento. Para cada risco, fazemos o cruzamento de uma linha (nível de probabilidade), com uma coluna (nível de impacto). Desse modo, determinamos qual a melhor estratégia para lidar com aquela ameaça.

De acordo com o resultado obtido na figura para cada risco, aplicam-se as estratégias apropriadas. Vale ressaltar que a padronização das estratégias que utilizo inspira-se na prática adotada por um de meus clientes, uma empresa do ramo de construção, cujas estratégias me parecem acuradas.

ESTRATÉGIAS A ADOTAR DE ACORDO COM A PROBABILIDADE E O IMPACTO DE CADA RISCO

PREVENIR: quando o risco é elevado em termos de impacto e probabilidade, simplesmente não pode ser aceito. Para proteger os objetivos do projeto da ameaça, pode-se, por exemplo, excluir do escopo a área sujeita a risco, ou então adotar outra tecnologia que não ofereça tanto risco. Nesse caso, o plano do projeto será necessariamente alterado. Se não for possível alterar o plano do projeto, a opção será a transferência do risco, descrita no próximo item.

TRANSFERIR: se o risco é inaceitável, porém não há como alterar o planejamento do projeto, procura-se transferir o impacto negativo e a responsabilidade da resposta terceirizando as etapas do trabalho afetadas pelo risco. Por exemplo: um trabalho cuja conclusão exitosa é incerta pode ser transferido, por um contrato de preço fixo, a um fornecedor que tenha maior domínio sobre a tecnologia envolvida. Se não for possível realizar esse tipo de transferência contratual e se o fornecedor não aceitar arcar com o impacto do risco, só resta se proteger por meio da contratação de um seguro.

MITIGAR: pode ocorrer de o risco ser inaceitável, mas, por outro lado, a mitigação do risco ser viável, por meio de medidas como a aquisição de um equipamento de reserva, ou então a garantia de recursos humanos melhores qualificados. Esse tipo de medida faz parte do chamado plano de mitigação, que deixa o risco dentro do limite aceitável.

Prever o impacto e a probabilidade de um risco são as peças-chave para definir seu peso no âmbito de um projeto

COMO DEFINIR A ESTRATÉGIA DE ACORDO COM O RISCO

1 Identificar a probabilidade e o impacto de cada risco

Ocorrência de chuvas além do que foi previsto inicialmente
RISCO: trabalho na obra interrompido por longos períodos
EFEITO: atraso da obra
PROBABILIDADE: 3   IMPACTO: 6

2 Multiplicar uma probabilidade e o impacto para descobrir o grau de importância do risco

$$3 \times 6 = 18$$

PROBABILIDADE   IMPACTO

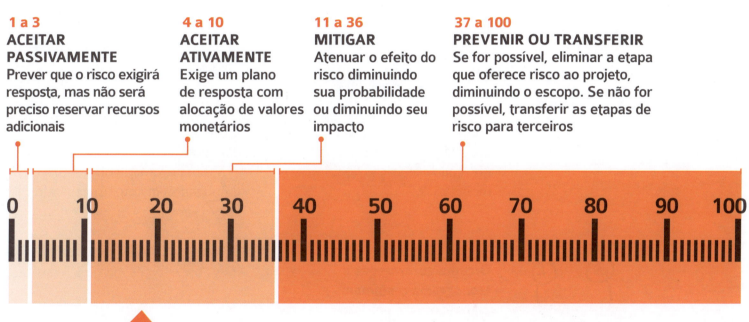

Só não se esqueça de que ações de mitigação aumentam os custos e tais valores precisam ser inseridos no canvas e nos documentos orçamentários posteriores.

Aceitar ativamente: no caso de o risco se situar dentro do limite aceitável, não é necessária uma ação suplementar de mitigação. Mesmo assim, é preciso elaborar um plano de resposta ao risco, prevendo a alocação de valores monetários.

Aceitar passivamente: quando o risco está dentro do limite aceitável, demanda uma previsão de resposta, mas não exige a alocação de uma reserva monetária de contingência, diz-se que ele será aceito passivamente.

PASSO 8: o cronograma e o orçamento estão orientados por entregas?

Muito provavelmente, tanto o cronograma, quanto o orçamento

Orçamento, entregas e cronograma costumam andar juntos, e por isso é recomendável separá-los em grupos

serão posteriormente expandidos a partir do canvas, chegando-se a versões melhor detalhadas em ferramentas como o MS Project e o Excel.

De todo modo, desde o momento do planejamento, ambos devem estar estruturados em torno das entregas.

Por que é necessário fazer isso? Porque o cronograma e o orçamento precisarão ser controlados em conjunto e esse monitoramento casado será incrivelmente facilitado se ambos tiverem a mesma estrutura.

Além disso, normalmente, cronograma e orçamento fazem trocas entre si. Por exemplo, se empenhamos mais esforço para realizar uma determinada entrega, aceleramos o projeto (alteração no cronograma), mas também gastamos mais (alteração no orçamento). E não se pode dizer que um projeto esteja dentro do orçamento simplesmente porque se gastou o que deveria ter sido gasto naquele semana: é necessário também verificar o que foi produzido naquele período.

FECHANDO A INTEGRAÇÃO

Tornando visível o invisível

No Project Model Canvas estão contidas muitas propostas e modelos de pensar o gerenciamento de projeto dos últimos 50 anos. É por isso que uma atenção especial deve ser dedicada a entender a lógica geral do canvas, a desenvolver as integrações necessárias e a prever procedimentos de resolução de problemas.

Acredito que existam dois tipos de profissionais atuando no gerenciamento de projetos: aqueles que entendem a lógica de trabalho de um gerente de projeto e os outros que ainda não entenderam essa lógica, e se escondem ou se protegem cumprindo a burocracia. Nesse momento do livro, convido o leitor a se perguntar, sinceramente: de que lado você quer estar?

Passei meses preparando este livro com o intuito de ajudá-lo, caso você opte por escolher o lado da lógica e do pragmatismo – e não o da burocracia e da prolixidade. Se até aqui algo não ficou claro, sugiro que releia as páginas anteriores com calma, faça exercícios e peça ajuda a colegas experientes nas partes que não entendeu.

Para motivá-lo, transcrevo abaixo o depoimento que recebi de um profissional como você.

"Nossa, eu não tinha ideia do quanto não sabíamos sobre o projeto. Ao tentar fazer o canvas, percebi isso!" (J.P. gerente de projeto).

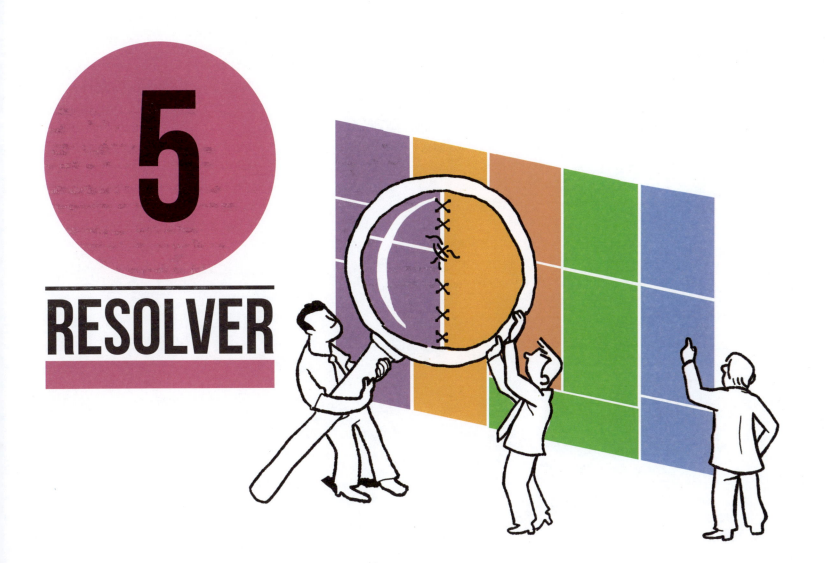

NÓS QUE TRAVAM O DESENVOLVIMENTO DOS PROJETOS

Como desatá-los?

Fazer um plano de projeto é admitir trabalhar com informações imperfeitas. Algumas pessoas se paralisam diante dessa situação; outras seguem adiante. De todo modo, pensar em fazer um plano com todas as informações é uma ilusão.

Já tive a ocasião de observar, tanto o exercício de preenchimento do canvas, como a elaboração de seu equivalente formal, o plano de projeto, sendo paralisados por completo porque não havia informações mínimas para se prosseguir.

Acredite, a dificuldade em preencher o canvas nos mostra mais da realidade do que quando tudo sai bem. Se o exercício colapsa, percebemos onde estavam os principais pontos de fragilidade do modelo.

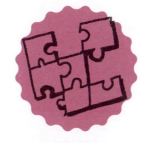

É ilusão achar que teremos todas as informações disponíveis para planejar um projeto

Chamaremos de nó o ponto do canvas em que ocorre esse tipo de travamento por falta de definição. O nó é um ponto que estrangula o planejamento dali para a frente e, portanto, precisa ser "desatado", restaurando o fluxo de informações.

Uma vez identificado o nó do canvas, sua solução deve ser encontrada por meio de lições de casa para os *stakeholders* do projeto.

Esse processo de identificar nós e trazer soluções é denominado "resolver o projeto".

A etapa de resolução do projeto é realizada seguindo o mesmo fluxo do trabalho da etapa de concepção, respeitando a ordem das questões fundamentais.

Em primeiro lugar, verificaremos se a pergunta POR QUE foi respondida, e se o propósito está embasado em sólida geração de valor para a organização. As respostas das demais questões tornam-se inúteis se essa questão não for respondida a contento.

Em segundo lugar, checaremos se conhecemos O QUÊ o projeto vai produzir em um nível adequado de requisitos.

Logo em seguida, conferiremos se a pessoa da equipe a QUEM foi atribuído o trabalho possui autoridade, responsabilidade, disponibilidade e conhecimento suficientes.

Respondidas as questões anteriores, verificaremos se há clareza a respeito de COMO fazer o trabalho, e se as condições de trabalho estão controladas.

EFEITO DOMINÓ

É importante resolver o projeto na sequência correta

1 POR QUÊ?
2 O QUÊ?
3 QUEM?
4 COMO?
5 QUANDO E QUANTO?

Finalmente, verificaremos se as promessas relativas às perguntas QUANDO E QUANTO são condizentes com o que já se sabe do projeto e com a incerteza que existe (os riscos).

Um nó num ponto inicial do canvas poderá provocar vários nós na próxima etapa de preenchimento. Portanto, o processo representado na imagem *Passos fundamentais* pode ter que ser repetido várias vezes.

Existe uma infinidade de nós e problemas que pode vir à tona na definição do projeto, mas alguns são clássicos. Estão relacionados a seguir, acompanhados de sugestões de soluções, dentre as muitas possíveis.

153

PASSOS FUNDAMENTAIS

Processo de resolução de projetos

IDENTIFICAR O NÓ
Caracterizar bem qual é o problema que impede a concepção do plano

LIÇÃO DE CASA
Levar problema para organização e dar espaço para propostas

ALTERAR CANVAS
Com a solução em mãos avançar na concepção do plano

1 O PROJETO NÃO GERA VALOR

Há projetos que apresentam um dos problemas a seguir:

1) Não trazem contribuição significativa para nenhum dos objetivos estratégicos da organização. Variáveis a serem inspecionadas para detectar esse problema: objetivos estratégicos, relacionamento do objetivo com o projeto em questão, intensidade da contribuição.

2) Não adicionam aos direcionadores clássicos de valor de uma organização, ou seja:

» **Não geram aumento de receita;**
» **Não acarretam redução de custo significativa, nem evitam custos;**
» **Não otimizam o uso de ativos (instalações, equipamentos, estoques);**
» **Não melhoram a imagem da organização ou a percepção de valor da organização para os investidores;**
» **Não estão ligados a demandas legais ou regulatórias;**
» **Não trazem melhorias sociais ou ambientais.**

3) Geram melhorias, mas elas são subjetivas e difíceis de serem quantificadas.

Se o seu projeto se enquadra em um dos itens anteriores, ele possui um legítimo nó na geração de valor.

Possíveis lições de casa e soluções para o projeto que não gera valor

Lembre-se de que uma das responsabilidades do patrocinador do projeto é mostrar a racionalidade da geração de valor do seu projeto. Então, a primeira atitude recomendável é marcar uma reunião com o patrocinador (ou o proponente do projeto) e investigar melhor as razões de negócio que motivaram a criação do projeto.

Mostre as lacunas que o time encontrou em relação à geração de valor e tente esclarecer cada uma delas.

É bem possível que a concepção do projeto tenha que ser modificada; mudando-se o produto do projeto, pode-se reestruturar a geração de valor.

Você deve estar pensando: por que não solicitar do patrocinador a emissão de um business case? Porque o próprio canvas é o business case!

O business case é um documento formal que costuma conter as razões que motivaram o projeto. Ora, se repararmos bem, o próprio canvas contempla tudo que um business case precisa conter, com a vantagem de ser amarrado por uma lógica de geração de valor:

» **O contexto de negócio;**
» **A proposição de valor (benefícios);**
» **O produto, serviço ou resultado sendo produzido;**
» **As entregas produzidas pela equipe e que serão integradas;**
» **O tempo necessário, associado ao consumo de recursos críticos;**
» **As premissas;**
» **Os riscos.**

Logo, a questão é ampliar o leque de pessoas que opinam na montagem do canvas, inclusive o patrocinador, pois, junto com o canvas, o business case estará pronto também.

2 O CLIENTE NÃO SABE O QUE QUER

Imagine a seguinte situação: a equipe se reuniu e, na hora de listar os requisitos, poucos post-its puderam ser escritos e colados pelos participantes. A equipe, então, se voltou para o cliente, que, na defensiva, indagou: "Como eu posso saber mais, se nunca vi isso feito antes?"

Possíveis lições de casa e soluções para o projeto cujo cliente não sabe o que quer

Em primeiro lugar, identifique se os *stakeholders* que usarão o produto foram engajados. Cerifique-se de que os *stakeholders* que podem falar sobre o produto com propriedade foram efetivamente identificados e envolvidos.

Talvez seja o caso de conversar individualmente com cada um deles, pois, em grupo, podem ficar receosos em provocar conflitos, ao falar sobre os requisitos.

Uma tática: contar pequenas histórias

As pessoas têm dificuldade de descrever características técnicas e funções de um produto. Já o gosto por contar e ouvir histórias nos acompanha desde a infância.

Sugiro pedir para o cliente se imaginar em uma situação futura em que esteja usando o produto do projeto e solicitar que descreva detalhadamente a situação, como se estivesse contando uma pequena história. Essa pode ser uma das maneiras de obter bons requisitos.

Histórias de usuários são sentenças curtas, limitadas ao tamanho do post-it padrão (10 cm x 7,5), escritas pelo usuário final que utilizará o produto do projeto. Elas devem ser redigidas em linguagem comum de negócios.

A sentença normalmente explica o trabalho do dia a dia num futuro hipotético. E o modelo responde às perguntas "quem?" o quê?" e "por quê?".

Eis os passos a percorrer:

1 Crie um modelo contendo a sintaxe ou formato básico de uma história de usuário;

2 Apresente o modelo para os clientes e para outros *stakeholders*, dando exemplos de como construir uma sentença naquele modelo;

3 Peça para os usuários imaginarem-se no futuro, após a conclusão do projeto, e para gerarem suas próprias histórias seguindo os templates.

Um exemplo de template seria: "Como <quem> <onde/quando>, eu preciso <o que > para <por que>."

E as histórias geradas a partir desse modelo, contendo requisitos, poderiam ser assim:

» "Como agente de validação, na entrada da aeronave, eu preciso validar o código de barras com o código do bilhete, para certificar-me de que aquele é um passageiro válido";
» "Como canhoneiro no tanque de guerra, em operação de combate noturno, eu preciso de visão termal no periscópio de tiro para garantir a mira no inimigo";
» "Como consumidor final no momento do banho, com as mãos molhadas, eu preciso que a tampa do xampu se abra com pouco esforço, para que eu aplique o produto".

Um outro template, mais simples, poderia ser: "Como <papel>, eu quero <objetivo/desejo>". As frases construídas com base nesse modelo se pareceriam com essas:

» "Como usuário do sistema de contas a pagar, eu quero pesquisar fornecedores, tanto pelo CNPJ, como pelo nome";
» "Como usuário do sistema de compras no SAP, eu preciso ter acesso aos meus pedidos de compras, mas não aos de outro comprador".

3 OS RECURSOS NÃO ESTÃO GARANTIDOS/ALOCADOS PARA O PROJETO

Na hora de construir o canvas, suponha que o gerente só tenha conseguido listar seu próprio nome na equipe, ao passo que as entregas serão feitas por diversos outros perfis que não estão alocados no projeto.

É claro que esse é um exemplo extremo, mas, sempre que existir alguma entrega a ser feita por recursos não alocados no projeto ou sem compromisso de alocação, teremos um problema.

Possíveis lições de casa no caso de recursos não garantidos/alocados no projeto

Em uma organização, para conseguir inserir alguém dentro da esfera de influência do gerente de projeto, é preciso que o "dono" do recurso (por exemplo, o chefe funcional dessa pessoa) concorde em cedê-lo por X horas semanais ou mensais para trabalhar no projeto.

O caminho mais comum é o patrocinador solicitar, por meio de uma mensagem formal (que pode ser um e-mail), o compromisso de alocação pelo dono do recurso, recebendo em seguida a confirmação de acordo.

4 O GERENTE DE PROJETO NÃO POSSUI AUTORIDADE, NEM INFLUÊNCIA PARA TOCAR O PROJETO

Quando nem o cliente nem o patrocinador se encontram dentro da esfera de influência do gerente de projeto, ou quando as principais entregas listadas no canvas são realizadas por pessoas, perfis ou fornecedores externos que tampouco estão sob sua esfera de influência, tudo indica que o trabalho dificilmente será coordenado e gerenciado a contento pelo gerente de projeto.

Possíveis soluções para o problema de autoridade do gerente de projeto

Em primeiro lugar, é preciso obter um patrocinador, um executivo num nível adequadamente elevado dentro da organização, que abra um canal de comunicação com o gerente de projeto. Posteriormente, esse executivo poderá intervir para que, mesmo que temporaria ou parcialmente, alguns dos responsáveis pelas entregas principais se reportem ao gerente de projeto.

É importante negociar com os gerentes "donos" desses recursos para que a avaliação de desempenho dos funcionários membros de suas equipes inclua o julgamento emitido pelo gerente de projeto sobre sua contribuição para o resultado do projeto. O processo deve ser meritocrático e transparente para todas as pessoas envolvidas; os recursos também devem estar cientes de que suas avaliações serão afetadas pelo desempenho no projeto.

Em relação a terceiros que efetuam entregas no projeto, recomendo estabelecer contratos detalhados que estipulem responsabilidades para reportar e de medição do trabalho, e que prevejam ainda a realização de reuniões de coordenação, bem como um protocolo de comunicação entre o(s) fornecedor(es) e o(s) gestor(es) que centraliza(m) o controle do projeto.

Para aqueles menos familiarizados com o jargão técnico do gerenciamento de projetos, se reportar é a maneira pela qual o fornecedor comunica a programação e o resultado da execução do trabalho realizado por ele. As informações reportadas devem estar em um formato facilmente integrável aos controles gerais do projeto.

Vale lembrar também que a medição física dos serviços executados é sempre comparada com aquilo que foi planejado; os resultados da medição é que viabilizam os desembolsos mensais do financiamento do empreendimento.

As reuniões de coordenação, por sua vez, precisam ter sua frequência estipulada, bem como o local, a pauta (quando possível) e os participantes – com suas respectivas autoridades na tomada de decisões.

Em relação ao protocolo de comunicação, trata-se de especificar os relatórios a serem apresentados; os canais de comunicação a serem utilizados; a frequência da comunicação; quem por ela se responsabiliza; o que deve ser comunicado e para quem.

5. A EQUIPE NÃO CONSEGUE IDENTIFICAR AS ENTREGAS A SEREM FEITAS

Numa situação em que a equipe nunca antes tenha feito um projeto similar, não é improvável que, durante o preenchimento do bloco "Entregas", ela fique insegura, hesitante e até paralisada.

Possíveis soluções para entregas não identificadas

Se a razão imediata do problema é a falta de experiência técnica da equipe nesse tipo de projeto, a primeira coisa a fazer é nomear um responsável técnico, que pode não ser o gerente de projeto. Frequentemente, esse papel é assumido pelo recurso técnico mais sênior da equipe – uma possibilidade seria um arquiteto de solução. Se o recurso não está disponível, o patrocinador negocia sua alocação. Outra alternativa é buscá-lo no mercado, por meio de contrato.

Isso feito, a equipe precisa se amparar numa metodologia técnica de execução. Normalmente, tais metodologias dividem o projeto em diferentes fases do ciclo de vida e especificam, em cada uma delas, o que deve ser entregue.

Por exemplo, quem implanta aplicativos ERP, como o SAP R/3, um *software* de gestão, pode utilizar a metodologia ASAP desenvolvida pelo próprio fabricante do *software*. Fica estabelecido em cada uma das fases o que fazer.

É interessante que a equipe faça uma pesquisa na internet ou em bases de conhecimento para ver se encontra projetos similares. A resposta, às vezes, pode estar em artigos ou white papers de fornecedores daquele tipo de solução. Deve-se buscar também livros que tratem do assunto. Provavelmente não haja tempo hábil para ler muitos livros integralmente, mas uma busca rápida nos tópicos já trará pistas sobre os tipos de entregas a serem desenvolvidas.

Finalmente, a equipe pode fazer benchmark com outras organizações que já realizaram aquele tipo de projeto ou até mesmo contratar uma assessoria técnica especializada.

Buscar referências com capacitação e experiência fora da equipe ajuda a entender como o projeto se divide em entregas

6 A EQUIPE FORMULOU RISCOS "PARA INGLÊS VER"

Eis uma outra situação provável: na hora de preencher a avaliação de riscos global, a equipe tem uma certa facilidade, por conhecer esse tipo de projeto. Porém, no momento de pensar sobre os riscos específicos do projeto, são colocados poucos post-its com elementos genéricos, como "chuva" ou "atraso no projeto". Isso resulta de falta de imaginação e de não saber diferenciar a causa do risco, o risco propriamente dito e a consequência do risco.

Pode acontecer ainda de, após concluído o canvas, ficar claro que o projeto acarretará um alto risco, localizado em áreas que a organização considera críticas. Porém, a equipe não acredita que o trabalho de avaliação de riscos chegue em alguém com poder suficiente na organização para mudar a ordem das tarefas.

Seja por preguiça, seja por falta de experiência na identificação de riscos, ou ainda por pensar que a análise de riscos não será levada a sério por ninguém com poder de decisão, o fato é que a equipe, muitas vezes, redige no canvas riscos incompletos, "para inglês ver".

Possíveis soluções para combater os riscos "para inglês ver"

Com relação aos riscos pontuais, é necessário estimular a equipe a se concentrar, a não passar por esse item rápido demais, descrevendo os riscos do projeto de modo telegráfico.

Em segundo lugar, sugiro que se peça para a equipe exercitar o **pensamento orientado a falhas**. É mais fácil formular os riscos quando pensamos em coisas que podem não se comportar como seria esperado. Façam perguntas do tipo:

» **Quais falhas no processo de execução do projeto podem acontecer?**
» **O que pode não funcionar como programado, no bloco "Entregas"?**
» **Que serviços de infraestrutura ao projeto podem falhar?**
» **Quais problemas de design e concepção podem ocorrer?**
» **O que deu errado nos projetos anteriores?**

Considere a opção de usar um checklist de riscos específicos, baseado em experiências de projetos anteriores da organização.

Ainda no que concerne aos riscos específicos do projeto, é importante treinar a equipe na tríade causa-risco--consequência. Reveja a teoria neste livro, no capítulo "Conceber o plano"; faça uma pequena apresentação para a equipe, mostrando alguns exemplos prontos com causa-risco--consequência.

Já com relação aos riscos globais, é preciso o apoio dos altos executivos para mudar a política de gestão de riscos na sua organização.

Numa empresa em que trabalhei, a Hewlett Packard, nós, os gerentes de projeto, éramos orientados a proceder a uma avaliação global de riscos, usando uma estrutura semelhante à proposta neste livro, com categorias de riscos similares.

Dependendo da gravidade dos riscos globais identificada durante a avaliação, uma bandeira vermelha virtual era levantada, indicando que patamares não toleráveis de risco seriam atingidos naquele projeto. Só quem podia baixar essa bandeira vermelha era um executivo em nível de diretoria ou superior. É claro que o executivo só fazia isso após o gerente de projeto mostrar as medidas que havia tomado para amenizar ou neutralizar os riscos. Nas mãos desse mesmo executivo estava o poder de suspender a execução do projeto.

Uma das maneiras de evitar avaliações de risco global que não sirvam para nada é estimular que seja implantado, na organização, um processo de escalação do risco global para os níveis executivos, como descrevi que era feito na Hewlett Packard. Só assim haverá real consciência sobre os níveis de riscos assumidos pela organização em cada projeto, e será possível cobrar ações dos responsáveis.

7 A EQUIPE ESTÁ INSEGURA QUANTO À DURAÇÃO DO PROJETO

Não é raro que a equipe encare como ameaça o estabelecimento de uma data de término para o projeto.

Na realidade, qualquer prazo que estipulemos para o projeto tende a não ser cumprido, mesmo se usarmos critérios precisos e procedimentos científicos, como distribuições de probabilidade beta-pert, ou sofisticados *softwares* de simulação computacional.

Uma vez fixadas as datas, o comportamento das pessoas acaba por invalidar o cronograma dos projetos. Isso se deve à nossa reação emocional negativa em relação a datas-limite, tema debatido, por exemplo, no contexto da síndrome do estudante, na Lei de Parkinson e nas multitarefas nocivas[1].

Possíveis soluções para a dificuldade de lidar com datas-limite

A primeira alternativa é você se contentar com uma data de término que seja razoável.

[1] A associação entre esses diversos problemas e a pressão de uma data-limite rígida pode ser comprovada rapidamente, numa simples pesquisa na internet.

Um data de término é considerada razoável quando atende a dois critérios:

1) Não pode ser tecnicamente inviável;

2) Deve ser politicamente aceita na organização.

Se existe conflito entre os critérios 1 e 2, é preciso negociar, priorizando a data política. Isso significa mexer no escopo do projeto, e realizar uma entrega menor ou parcial. Ou então negociar politicamente para estender o prazo. Qual seria o maior escopo de entrega tecnicamente possível, dentro do prazo político? Existe alguma possibilidade de ampliar o prazo politicamente aceitável? Essas são as duas perguntas a responder na negociação.

Trabalhar com uma data de término razoável significa assumir que ela é uma meta politicamente negociada, mas que, ao mesmo tempo, precisa ser passível de cumprimento, do ponto de vista técnico. Para construir uma linha do tempo baseada em uma data de término razoável, simplesmente dividimos em 4 quartos o prazo total, no canvas. Discutimos com a equipe quais entregas serão feitas em cada um dos quartos. Gerenciamos efetiva e permanentemente a execução do projeto. E está resolvido.

A segunda alternativa é seguir a recomendação da Academia, que se resume em alguns procedimentos:

1) Decomponha em atividades cada uma das entregas;

2) Pense em estimativas de duração para cada atividade, na forma de cenários otimistas e pessimistas;

3) Escolha uma duração para cada atividade, proporcional ao risco e ao grau de inovação que ela traz;

4) Coloque marcos no projeto (de início e de término), atividades apenas marcadoras, de duração zero.

5) Sequencie as atividades de modo que todas tenham ao menos um predecessor (nem que seja o marco de início), e ao menos um sucessor (nem que seja o marco de término).

6) Negocie politicamente a data resultante.

Tudo o que você tem a fazer, em seguida, é transcrever para o canvas uma representação simplificada desse cronograma por entregas.

Contudo, é importante ressaltar que nem sempre essa segunda alternativa é possível, devido à característica excessivamente política de algumas organizações e também pelo desconhecimento a respeito do trabalho a ser feito, que costuma imperar no momento de concepção do projeto.

8 OS PARCEIROS DE NEGÓCIO NÃO SE INTEGRAM À EQUIPE

Isso pode ocorrer quando a equipe formada para construir o canvas não chama para a mesma mesa os principais parceiros de negócio (sejam eles clientes ou fornecedores). Aí, na hora de colocar os requisitos

Recursos de comunicação social e integração ajudam a construir o conceito de equipe e faz com que as pessoas se sintam parte do projeto

ou atribuir entregas, fica faltando a validação dos parceiros de negócio.

O problema, nesse casos, é que a impressão das pessoas será a de que existem dois projetos paralelos, o do cliente e o do fornecedor, separados por uma grande muralha chamada contrato.

Possíveis soluções para trazer os parceiros à mesa

Inicialmente, recomendo agendar uma nova reunião, dessa vez com o envolvimento dos parceiros de negócio, e usar o canvas para chegar a um entendimento comum da lógica do trabalho conjunto. É muito importante estabelecer uma **única lógica**, de um **único projeto**. A união deve ser afirmada explicitamente na reunião do time; deve ir além do simples discurso e se refletir na prática.

O ideal é que exista uma **única equipe**, que forma um todo e que independe da empresa ou organização à qual as pessoas estão subordinadas individualmente. Para ajudar nisso, use elementos que criem uma identidade visual para o time: camisetas, bonés, pins. Celebre os encontros do grupo.

Com base na lógica de equipe única e projeto único, derive declarações de trabalho contendo entregas com responsabilidades específicas e critérios de aceite. Além disso, procedimentos claros para eventuais solicitações de mudança de escopo devem ser estabelecidos com representantes das partes interessadas.

A comunicação precisa ser planejada com base nessa ideia de time único, para facilitar a integração. Lance mão de tecnologias da informação, grupos de discussão, compartilhamento de áreas virtuais, e uma rede social do projeto.

Se for um projeto suficientemente grande, pense em criar um escritório de gerenciamento de projetos (PMO) para os parceiros que, ao invés de cobrar, terá a missão de servir aos parceiros, oferecer facilidades e ajudar na integração dos envolvidos.

9 A EQUIPE FEZ UM ÓTIMO PLANO, MAS SE ESQUECEU DAS OUTRAS PESSOAS E DO PLANETA

Imagine que a equipe se esqueceu de incorporar aspectos de sustentabilidade dentro do ciclo de vida do projeto, que harmonizem a geração de valor requerida pela organização, com ações benéficas para a sociedade e também para o ambiente.

Possíveis soluções para integrar a dimensão da sustentabilidade ao plano

A sustentabilidade não pode ser apenas uma preocupação teórica. Quando se assina o código de ética do Project Management Institute, por exemplo, ela tem de ser, de fato, colocada em prática.

A preocupação com a sustentabilidade requer que o time estenda sua abrangência de tempo para depois do término do projeto, cobrindo todo o período em que o produto do projeto estiver em operação e até mesmo quando ele for desativado, descartado ou desmanchado.

Em linhas gerais, a elaboração do Project Model Canvas pode contemplar os seguintes esforços para integrar sustentabilidade ao gerenciamento de projetos:

» **A equipe deve conceber um plano de projeto no qual todo o trabalho seja realizado de maneira sustentável,** e a preocupação com os impactos sociais e ambientais afete praticamente todos os componentes do Project Model Canvas;

» **O produto ou serviço do projeto deve operar durante todo o seu ciclo de vida de maneira sustentável. Para tanto, é provável que os componentes produto e requisitos do canvas tenham de ser adaptados;**

» **Indicadores de sucesso e desempenho do projeto devem incorporar medidas de sustentabilidade. Os componentes do objetivo SMART e do bloco "Benefícios" devem refletir essa preocupação.**

Para tornar o pensamento e a prática da sustentabilidade mais tangíveis à equipe que vai desenvolver o Project Model Canvas, seguem alguns exemplos que podem ser inspiradores – sem limitar a margem de criatividade da equipe.

No campo das restrições, preveja que a maioria das reuniões envolvendo pessoas de localidades distintas seja feita via web, para minimizar deslocamentos. Considere, também nas restrições, que o time de compras deve priorizar fornecedores de bens e serviços que minimizam o deslocamento de produtos e pessoas. Insira ainda a restrição de só contratar fornecedores que garantam salários dignos para seus empregados, respeitem a legislação para horas extras e repudiem o trabalho infantil. Uma outra restrição interessante é, na contratação de produtos ou serviços, dar preferência a alternativas que promovam a inclusão social. Pequenos fornecedores e cooperativas podem ser considerados e priorizados.

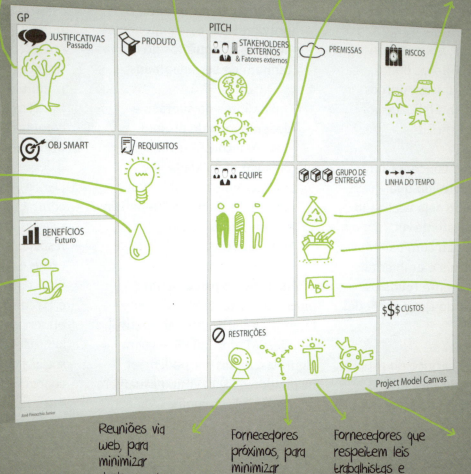

Introduza nos requisitos que o produto do projeto deve ter como características a economia a e racionalidade no uso de energia. Coloque ainda nos requisitos que o produto ou serviço do projeto deve fazer uso eficiente da água, reaproveitando água da chuva e tratando toda a água dispensada.

Nas entregas do projeto, mencione o descarte e a reciclagem do lixo gerado pelo projeto, assim como a desmobilização sustentável do canteiro de obra montado pelo projeto, se aplicável. Inclua como entrega, também, a educação dos trabalhadores envolvidos ou algo que os faça evoluir em termos de qualificações e aprendizado. Ainda no campo das entregas, não esqueça de cuidados com saúde, meio ambiente e segurança.

Garanta, na alocação da equipe do projeto, a preocupação com a diversidade, a inclusão social, a igualdade de oportunidades de trabalho e a não discriminação de qualquer natureza.

Destaque, nas justificativas do projeto, situações atuais que precisam ser modificadas. Faça com que a organização assuma um papel protagonista na gestão do meio ambiente e assegure que a realização do projeto ajudará a corrigir distorções preexistentes.

Revise os riscos do projeto para se certificar de que todas as oportunidades e ameaças ao ambiente foram identificadas e de que foram desenvolvidas respostas satisfatórias, de acordo com sua ocorrência e seus impactos, quer seja por meio da possível modificação do plano de projeto ou até mesmo pela suspensão do projeto.

Identifique como *stakeholder externo* a sociedade em geral e também a comunidade de entorno do projeto.

Não se esqueça de mencionar, nos benefícios, o ganho social, que deve entrar, igualmente, nos indicadores de desempenho do projeto.

Se a execução dos serviços for realizada próximo a uma comunidade em situação de vulnerabilidade social, com baixa renda, altas taxas de analfabetismo e/ou evasão escolar, verifique se todas as possíveis oportunidades de interação positiva do projeto com essa comunidade

Ouvir o que os membros resistentes têm a dizer e permitir mudanças é um bom começo para resolver resistências

foram levantadas e estão mapeadas nos riscos do canvas, assim como todas as ameaças que podem resultar em violação dos direitos humanos ou diminuição da qualidade de vida dos moradores da comunidade.

10 EXISTE RESISTÊNCIA EM RELAÇÃO AO PROJETO

Uma situação que pode acontecer é a equipe, ao se reunir para desenvolver o Project Model Canvas, perceber que há resistência por parte de algum *stakeholder externo* ao projeto e, possivelmente, também de um ou outro membro da equipe.

Possíveis maneiras de administrar a resistência que existe em relação ao projeto

O gerenciamento de projetos surgiu na década de 1960, vinculado a técnicas de programação PERT e CPM, modelos lógicos e matemáticos visando à otimização de custos, durações e recursos. As técnicas de gerenciamento de projetos se expandiram para todas as organizações, com fins lucrativos ou não, como forma de responder à pressão por adaptações constantes e cada vez mais rápidas. Justamente pelo fato de os projetos serem vetores de transformação, é bastante comum que surjam resistências a eles dentro das organizações.

Por isso mesmo, é necessário que o arsenal de técnicas do gerente de projeto inclua ferramentas para a gestão de pessoas, para o alinhamento dos seus interesses aos interesses do projeto, e para a gestão das mudanças de conceitos e paradigmas.

O segredo é conciliar as propostas de mudança trazidas pelo projeto com o interesse das pessoas, quer seja adaptando o projeto, ou mudando sua percepção, por meio do compartilhamento de informações e do aumento do engajamento.

O próprio Project Model Canvas pode ser usado como ferramenta de gestão de mudanças e de abrandamento de resistências. Veja algumas pistas para fazer isso de uma maneira simples na página seguinte. O mais importante, nesse exercício, é escutar o que as pessoas envolvidas com o projeto têm a dizer, especialmente aquelas que não apoiam o projeto. Afinal, se existe tempo para deixar a proposta do projeto mais forte, mudando pequenas coisas que não irão prejudicar o propósito geral, por que não fazê-lo?

RESISTÊNCIA AO PROJETO

Como superá-la com o uso do Project Model Canvas

1 Analise os *stakeholders*: mapeie a influência e o posicionamento dos *stakeholders externos* ao projeto e também da equipe do projeto

influência
i+ alta
i- baixa

apoio ao projeto
e entusiasta
n neutro
o opositor

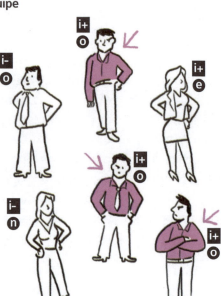

2 Identifique os grupos que precisam de maior atenção e chame-os para uma reunião de alinhamento de conceito de projeto. Utilize o canvas como ferramenta

3 O próprio canvas sugere por onde começar. Para que os *stakeholders* comprem a causa do projeto, é necessário responder, de maneira conjunta, à pergunta fundamental POR QUÊ?

4 JUSTIFICATIVAS
Reforce os aspectos desagradáveis da situação atual; faça comparações com concorrentes mais bem posicionados; demonstre como a situação atual impede as pessoas de aproveitar oportunidades

5 OBJETIVO SMART
Peça para os participantes reescreverem este bloco, melhorando-o; debata o significado das alterações propostas

6 BENEFÍCIOS
Peça para os participantes olharem para o conjunto de benefícios que o projeto trará para a organização e descreverem, ao mesmo tempo, oportunidades para si mesmas que derivam do projeto

7 REQUISITOS
Faça associações com as necessidades de negócio. Quais são as preocupações desses *stakeholders* que os fazem ter ressalvas em relação ao projeto?

8 ENTREGAS
Invista algum tempo mostrando as entregas e como elas se encaixam no todo do projeto. Discuta as responsabilidades específicas em relação às entregas

6
COMPARTILHAR

UM PROJETO BEM DEFINIDO E SEM NÓS

Como avaliar se seu plano está pronto

Se você cumpriu todas os passos de concepção do Project Model Canvas, você tem nas mãos um projeto que está muito bem definido, ou seja:

- ☑ O projeto **defende uma causa**, possui um propósito: vai nos tirar de uma situação atual problemática e nos transportar para uma situação futura melhor;

- ☑ O produto do projeto está claramente **delineado**, assim como suas principais características;

- ☑ Sabe-se **quem são as pessoas** e/ou papéis que trabalham no projeto e se eles estão dentro da esfera de influência do gerente de projeto;

- ☑ Tem-se claro quem são os *stakeholders externos* que fornecem subsídios ao projeto, aqueles que estão interessados ou são afetados pelo projeto;

- ☑ Os **níveis de influência** e os **posicionamentos** dos *stakeholders externos* e da equipe frente às mudanças representadas pelo projeto estão identificados;

- ☑ Os fatores do **ambiente externo** que afetam o projeto e que precisam ser monitorados estão listados;

- ☑ O trabalho a ser feito pela equipe está **decupado** na forma de entregas (deliverables) e as condições nas quais esse trabalho será feito estão mapeadas na forma de premissas e restrições;

☑ A **avaliação global de risco** do projeto foi feita com cuidado e o patrocinador tem ciência dela;

☑ Os **riscos específicos** identificáveis no momento do planejamento foram formulados sem confundir a causa, o risco em si e a consequência. Além disso, foram mapeadas suas probabilidades, assim como seus impactos no objetivos do projeto;

☑ A linha do tempo foi dividida em quadrantes e os **compromissos de finalização** das entregas dentro dos quadrantes foi acordado de maneira participativa. As linhas gerais de precedência lógica e as estimativas de duração foram respeitadas, dentro do possível;

☑ O **orçamento** foi detalhado a partir das entregas a serem feitas ao longo do projeto. Mesmo que não se tenha um orçamento detalhado e definitivo, são conhecidas, pelo menos, as ordens de grandeza dos custos do projeto, por meio de intervalos de valores.

Podemos afirmar também que seu documento tende a estar muito bem "amarrado". Isso significa que:

☑ Todas as **"dores"** detectadas no bloco "Justificativas" são tratadas nos demais componentes do

Um canvas bem amarrado e coerente será mais eficaz como ponto de partida para outros documentos e suportes

- canvas – no bloco "Benefícios", por exemplo. E foram previstas soluções para elas;

- Os **requisitos** referentes ao produto, serviço ou resultado do projeto foram fornecidos e são suficientes para defini-lo em linhas gerais;

- Cada uma das **entregas** mencionadas é feitas por membros da equipe listados no canvas, e que estão dentro da esfera de controle e influência do gerente de projeto;

- Alguns *stakeholders* estratégicos, como o **cliente** e o **patrocinador**, estão dentro da esfera de influência do gerente de projeto;

- As **premissas** elencadas no canvas resultam de um inventário completo sobre os *stakeholders* e os fatores externos do projeto; ao mesmo tempo, tudo o que se supõe ou dá-se como certo sobre os *stakeholders* e os fatores externos foi considerado como premissa;

- As **restrições** foram conferidas e cada uma delas está relacionada a limitações impostas aos membros da equipe e/ou a entregas do projeto;

- Todas as premissas e entregas foram cuidadosamente avaliadas em relação aos **riscos**;

- Se a **avaliação global de risco** do projeto é alta, as devidas medidas foram tomadas – como, por exemplo, colocar um intervalo de tempo estendendo o término do projeto ou então alocar no custo do projeto reservas financeiras proporcionais ao risco;

- Para os riscos pontuais mais relevantes, com **alta probalidade e alto impacto**, foram desenvolvidas respostas que modificaram o plano, como o acréscimo de novas restrições;

- A linha do tempo e o custo do projeto estão **orientados por entregas**.

Espera-se ainda que, nesse ponto do planejamento, as maiores indefinições e ambiguidades, assim como os impasses e as situações conflituosas tenham sido levados para discussão num fórum amplo e tenham sido resolvidos. Se os nós que atrapalhavam o projeto foram dissolvidos, então:

- A equipe tem clareza de que o projeto **gera mais valor para a organização**, do que consome recursos;

- O **cliente sabe perfeitamente o que quer** e isso está registrado no bloco "Requisitos",

- A **equipe técnica** tem competência e sabe o que precisa produzir;

- Os recursos estão adequadamente alocados ao **gerente de projeto**, que possui autoridade suficiente para conduzir o projeto;

- As **promessas de tempo e custo** são razoáveis e factíveis;

- O projeto não possui um **nível de risco** que não possa ser tolerado e as devidas medidas de respostas aos riscos foram tomadas.

- Houve **envolvimento da equipe** e dos demais *stakeholders* na concepção do plano.

A ALMA DO PROJETO E AS POSSIBILIDADES DE DESDOBRÁ-LA

Comunicando mais do que um plano, passando o modelo mental do projeto para frente

Se você conseguiu construir um Project Model Canvas que atende a maior parte daquilo que foi listado na seção anterior, a alma de seu projeto está nesse documento.

A ideia é que a consistência e a integração atingidas no canvas possam, se necessário, ser transportadas para outros documentos, como por exemplo:

» **Planos de projetos formais;**
» **Cronogramas;**
» **Apresentações;**
» **Orçamentos.**

DESDOBRAMENTOS DO CANVAS

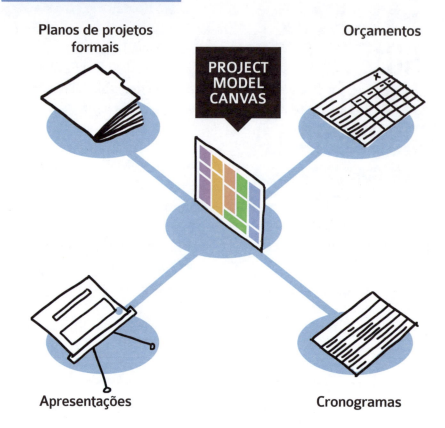

Tudo vai depender do grau de formalismo que sua organização exige. Apenas tome cuidado para que sua metodologia de gestão de projetos não se transforme em algo meramente prescritivo, como ocorre com alguns templates que precisam ser preenchidos, mas cujo propósito é obscuro para as pessoas que o preenchem.

A falta de entendimento gera medo e insegurança. Nesse situação, as pessoas se apegam a regras que, muitas vezes, não fazem sentido. Se você tiver criado um documento só para cumprir ordens, que talvez nunca seja lido por ninguém, terá pouca serventia.

O Project Model Canvas, ao contrário, é um modelo mental simplificado e poderoso. Você deve ter percebido isso a partir das relações entre as partes que podem ser extraídas do canvas e também dos conceitos implícitos.

Trata-se de uma ferramenta para unir as pessoas, definir de forma colaborativa o que precisa ser feito e ajudar a pôr o seu projeto em prática. Ao mesmo tempo, o canvas serve como uma matriz lógica que permite derivações e desdobramentos.

O Project Model Canvas não deve ser encarado como uma lista de regras ou um template. Ele é uma ferramenta para pensar e estruturar o projeto em sua forma mais elementar

Se você escolher um projeto típico de sua organização e elaborar o canvas com esmero, envolvendo as pessoas que conhecem bem o negócio e também aquelas que pensam sempre um pouco à frente, você irá gerar uma base muito sólida, que poderá ser aproveitada em projetos subsequentes.

Para que esse canvas seja realmente útil no futuro, invista algum tempo em organizá-lo como uma base. Transforme determinadas informações em parâmetros; generalize, expandindo algo que era local para o nível global; pense mais abstratamente; e transforme os post-its em componentes, gerando um documento que poderá ser reproduzido para os demais projetos da sua organização.

No último capítulo desse livro, veremos como transformar conhecimentos básicos em etiquetas que possam ser usadas nos próximos canvas, acelerando o processo de planejamento.

"O QUE É QUE EU FAÇO COM ISSO?"

A utilidade de cada componente do Project Model Canvas

Essa pergunta é feita por muita gente inexperiente, após um curso de gerenciamento de projeto, revelando a dura realidade: não entenderam a lógica do processo. Alguns seguirão em frente sem tentar responder para que serve cada um dos componentes do plano de projeto. Os mesmos que terminarão preenchendo templates de modo automático e irrefletido, gerando documentos que nunca mais serão lidos.

Ora, se você não sabe para o que vai servir, lá na frente, cada componente do seu plano, é melhor não fazer coisa alguma. Não adianta mobilizar esforços para criar um canvas, se não for aproveitar todos os pedacinhos dele para melhorar o desempenho do seu projeto.

Na verdade, cada elemento do canvas é relevante no processo de gestão do projeto. Veja agora exemplos concretos disso.

O QUE SE PODE FAZER COM AS "JUSTIFICATIVAS"?

A equipe do projeto pode usar as justificativas para mostrar aos clientes e a outros *stakeholders* que entendeu corretamente a situação atual da organização.

Os gestores das áreas que organizam o projeto podem usá-las, ainda, para comprovar que certas demandas das áreas de negócio estão sendo registradas e já estão sendo atendidas por meio de projetos.

Além disso, quando vistas em conjunto com os benefícios, as justificativas dão legitimidade para o patrocinador efetivamente implantar o projeto.

O QUE SE PODE FAZER COM O "OBJETIVO SMART" DO PROJETO?

O gerente pode colocar os objetivos do projeto visíveis, para que todas as partes interessadas, direta e indiretamente relacionados ao projeto, entendam, em poucas palavras, o que este faz. Como o objetivo é mensurável e delimitado no tempo, no momento da prestação de contas, ele pode ser usado para conferir, em alto nível ou em nível de negócios, o êxito do projeto.

O QUE SE PODE FAZER COM OS "BENEFÍCIOS"?

Em primeiro lugar, o bloco "Benefícios" pode ser usado pelos patrocinadores para avaliar se o projeto gera valor, de alguma forma, para a organização promotora (quer seja na forma de aumento de receita, de diminuição de custo, eficiência no uso de ativos ou melhoria de imagem da organização para os acionistas).

Os benefícios também podem ser usados pelos patrocinadores do projeto para demonstrar a intensidade da contribuição do projeto para os objetivos estratégicos da organização.

No caso de a organização possuir um processo de gestão de portifólio, esse alinhamento com a estratégia servirá para priorizar projetos, no que concerne à alocação de recursos. Os projetos que contribuírem de forma mais significativa para a estratégia da organização terão mais chances de ganhar a disputa por recursos críticos.

O bloco "Benefícios" é útil, por fim, no caso de um comitê de executivos externos avaliar o projeto durante o processo de prestação de contas, após seu encerramento.

O QUE SE PODE FAZER COM O "PRODUTO" DO PROJETO?

O bloco "Produto" é importante para a validação do projeto.

Ele fornece um direcionamento ao time externo, responsável pela garantia da qualidade do projeto.

A aceitação do cliente final também será feita com base no produto do projeto.

O QUE SE PODE FAZER COM OS "REQUISITOS"?

Os requisitos dão o norte para as ações de gestão da qualidade (por exemplo, os testes).

Podem ser detalhados e desdobrados, para contemplar os fornecedores dos níveis mais baixos.

Servem, ainda, para a integração de sistemas, revelando o que um subsistema tem que atender, para funcionar em conjunto com os demais.

O QUE SE PODE FAZER COM *STAKEHOLDERS* E FATORES EXTERNOS"?

Durante a concepção do plano, o bloco "*Stakeholders* e fatores externos" será usado pela equipe para inventariar premissas.

Já que a modificação das condições dadas por *stakeholders* e fatores externos causa impacto no projeto, sua identificação e sua relação com outros componentes do plano determinam os itens a serem monitorados.

Na presença de mudanças significativas no cenário externo, a equipe pode alterar o projeto ou renegociar os compromissos anteriormente estabelecidos.

O QUE SE PODE FAZER COM A "EQUIPE DO PROJETO"?

Esse bloco é útil na identificação das fronteiras do sistema do projeto.

Ajuda a delimitar o escopo, pois não pode existir trabalho no projeto que não seja feito pela equipe disponível (incluindo aí os fornecedores subordinados ao projeto).

O gerente pode usar o bloco "Equipe do projeto" para demonstrar ao patrocinador que existe coerência entre a amplitude da missão que lhe foi atribuída e os recursos que lhe foram subordinados. Ou então para solicitar aos patrocinadores um maior controle sobre os recursos, o aumento de sua esfera de influência ou a remoção de certos itens do escopo.

☁ O QUE SE PODE FAZER COM AS "PREMISSAS"?

O bloco "Grupos de entrega" dá a base para o gerente e a equipe construírem, tanto o cronograma, quanto o orçamento do projeto.

Se, por exemplo, as premissas estipulam que, "durante o período de realização do projeto, teremos 80% de dias de sol" e existe uma restrição que limita o trabalho da equipe a dias com sol, o gerente deve demonstrar coerência no desenvolvimento do cronograma diminuindo, no calendário, os dias úteis de trabalho.

Esse bloco informa também ao patrocinador quando as promessas feitas tendem a ser desarmadas. Se as premissas não se mostrarem verdadeiras, entregas relacionadas a elas não serão feitas dentro do previsto.

As premissas comunicam para os *stakeholders externos*, aquilo de que necessitamos e que só eles podem fornecer. Por isso mesmo, é interessante que eles sejam corresponsáveis e assinem as premissas juntamente com a equipe.

📦📦📦 O QUE SE PODE FAZER COM OS "GRUPOS DE ENTREGA"?

O bloco "Grupos de entrega" ajuda a motivar quem trabalha no projeto. Quando se visualizam as entregas do projeto, os envolvidos tendem a se sentir responsáveis por aquilo que estão produzindo, e orgulhosos de seu trabalho.

Os grupos de entregas permitem ao gerente pedir soluções para a equipe, ao invés de simplesmente lhe passar instruções de trabalho. Pensar em grupos de entregas significa dar espaço para a própria equipe determinar quais os melhores caminhos e as melhores atividades para se obter um determinado resultado.

A partir desse bloco do canvas, pode-se medir o trabalho, verificar se foi concluído a contento.

Vale lembrar que, no canvas, os grupos de entregas são listados de cima para baixo, em uma coluna, na ordem em que são realizados no projeto. Se imaginássemos o projeto de caçar a baleia Moby Dick, concebido sob a perspectiva do capitão do navio, as entregas seriam as seguintes:

Se voltamos ao exemplo da captura da baleia Moby Dick, utilizando um *software* de gerenciamento de projetos, chegaríamos a um cronograma similar ao da figura ao lado.

Atenção: o cronograma derivado do canvas deve compreender um conjunto enxuto de atividades de entrega.

Se as entregas estiverem com um nível de detalhamento muito baixo na primeira versão do cronograma, poderão, ainda, ser decompostas em entregas menores.

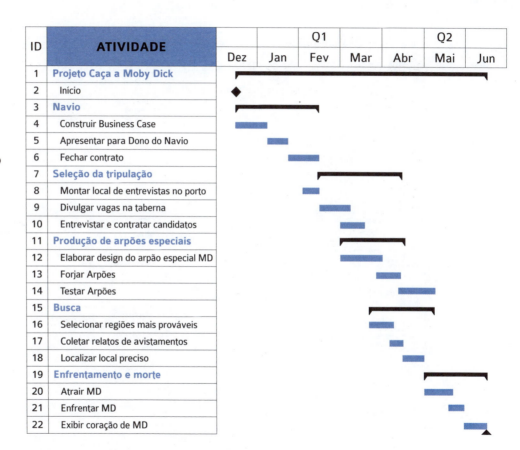

CANVAS MOBY DICK

⊘ O QUE SE PODE FAZER COM AS "RESTRIÇÕES"?

O gerente deve se certificar de que as restrições se encontram desdobradas em todos os níveis de trabalho, em todos os subsistemas do projeto, assegurando-se de que as pessoas que fazem o projeto não só entendem quais são as restrições, como também oferecem soluções viáveis para elas. Portanto, num primeiro momento, cabe ao gerente dar visibilidade às restrições em todos os níveis necessários.

Se perceber que não existem cenários que contemplem o cumprimento do trabalho de forma que todas as restrições sejam respeitadas, o gerente pode ter que declarar que o projeto é inviável.

Se o projeto for adiante, a liderança deve controlar se as restrições estão sendo cumpridas, ou, pelo menos, se há indícios de que elas provavelmente serão cumpridas. A organização promotora do projeto também pode auditar o gerente de projeto, a fim de verificar se as restrições negociadas estão sendo cumpridas ou tendem a sê-lo.

Quanto mais cedo esses controles e auditorias forem implantados, maior será a chance de estabelecer medidas corretivas que, se preciso for, coloquem o projeto novamente no trilho do cumprimento das restrições.

Ainda que as metas de custo e de prazo possam ser as restrições mais populares, o sistema de monitoramento de restrições não pode se limitar somente a essas duas.

O QUE SE PODE FAZER COM OS "RISCOS"?

A avaliação global de risco serve, antes de mais nada, para o patrocinador julgar se deseja realizar o projeto da maneira como foi concebido. Pode ser que o projeto em questão represente mais riscos do que o patrocinador poderia assumir. Ou então que, dentro da carteira de projetos em execução na organização, já exista um volume significativo de riscos assumidos, não sendo recomendável que novos riscos dessa proporção sejam adicionados.

Enfim, com base na avaliação global de risco, o patrocinador pode eventualmente pedir o cancelamento do projeto, a suspensão temporária de sua execução ou a modificação do conceito do projeto, para que a avaliação geral de risco desça a patamares aceitáveis.

Quanto à avaliação dos riscos específicos feita no canvas, o gerente deve usá-la para desenvolver respostas iniciais aos riscos mais significativos.

Essa será a primeira de uma série de identificações de riscos pontuais, que deverá ser feita ao longo do projeto.

•→•→ O QUE FAZER COM A "LINHA DO TEMPO"?

A linha do tempo funciona como ligação entre o mundo dos compromissos e o mundo das atividades. Provavelmente, um cronograma será desenvolvido com base no detalhamento técnico do trabalho a ser feito. O responsável pela elaboração do cronograma tentará conciliar os cenários técnicos com os compromissos de entregas assumidos, ou, se isso não for possível, solicitar à liderança do projeto que novos compromissos sejam estabelecidos.

$$$ O QUE FAZER COM OS "CUSTOS"?

No canvas, o orçamento registra metas que foram compromissadas, mais do que cálculos detalhados. Portanto, o mesmo raciocínio da linha de tempo vale para o bloco "Custos". Ele fornece as bases para a elaboração do orçamento final. E um detalhamento posterior possibilitará corroborar as metas assumidas ou então servir de alerta de que uma renegociação precisa ser feita junto aos patrocinadores.

7
SISTEMATIZAÇÃO DA APRENDIZAGEM ORGANIZACIONAL

O ACÚMULO DE CAPITAL INTELECTUAL

Dosando a reutilização dos ensinamentos do passado

Não existe "receita de bolo" para se produzir um projeto. Por definição, cada projeto é diferente do outro. Porém, isso não significa que não possamos aproveitar o conhecimento já acumulado em uma organização, relativo à estruturação de um determinado tipo de projeto.

Recuperar registros de trabalhos já feitos e planos de projetos anteriores pode, inclusive, acelerar o planejamento dos projetos atuais, levando à economia de tempo. Além disso, é uma forma de lembrar de certos aspectos que poderiam estar sendo relevados ou esquecidos no novo projeto.

Ao mesmo tempo, ficar preso ao passado pode engessar o planejamento atual, tolhendo a emergência de novas ideias e soluções. Um planejamento inteiramente copiado de um plano anterior corre o risco de ficar distante da realidade.

Como recuperar informações de projetos anteriores?

DOIS CAMINHOS PERIGOSOS

1 IGNORAR O PASSADO

» Não se embasar no conhecimento prévio da empresa ou da equipe;

» Não aproveitar as soluções concretas dos projetos anteriores;

» Tentar "inventar a roda";

» Cometer os mesmos erros de antes, por falta de memória institucional.

2 REPRODUZIR INTEGRALMENTE O PASSADO

» Ter preguiça de pesquisar, de repensar e de discutir;

» Fazer tudo sempre da mesma maneira;

» Cultivar a rigidez, ter resistência à inovação;

» Buscar fórmulas prontas e optar pelo mais fácil.

Para permanecer nas analogias culinárias, o aproveitamento do conhecimento prévio funciona como a dosagem de um bom tempero: pouco demais prejudica o sabor, e, em excesso, pode estragar o prato.

Assim, é preciso garantir que experiências do passado sejam aproveitadas e aprimoradas, abrindo espaço, ao mesmo tempo, para a inovação e a divergência evolutiva das práticas. O grande desafio é achar o justo equilíbrio entre o capital intelectual já acumulado e a capacidade criativa; entre as estratégias exitosas comprovadas no passado e aquelas que precisam ser inventadas para o futuro.

Esse último capítulo apresenta o Mirror Canvas, que permite acumular experiências agrupadas tematicamente.

A ideia é ajudar o gerente de projetos a aproveitar melhor e a fazer evoluir o conhecimento preexistente sobre projetos de um mesmo tipo.

Mas onde acumulamos capital intelectual, dentro da metodologia do Project Model Canvas?

» **Na lista de nós, seguidos de suas respectivas soluções (vide Capítulo 5);**
» **No Protocolo de Integração (vide Capítulo 4);**
» **Nos canvas produzidos para projetos passados;**
» **Nos Mirror Canvas, listas de posts-padrão genéricos, sugeridos para um determinado grupo temático.**

O acúmulo de capital intelectual é fruto da assimilação e da sistematização de conhecimento produzido durante a execução de projetos dentro de uma mesma organização, ou então por um mesmo profissional que presta serviços a várias organizações.

Não apenas gestores dentro das empresas, mas também consultores externos levam consigo lições das experiências que não deram certo e das estratégias bem-sucedidas. Isso, aliás, é um diferencial frente ao mercado. Utilizando desta vez um exemplo da área cultural, quem participar do planejamento dos desfiles das escolas de samba do Rio de Janeiro em um determinado ano, certamente irá ganhar se aproveitar o planejamento para o mesmo evento no próximo ano.

As lições aprendidas em projetos anteriores são, a um só tempo:

» **Oriundas da experiência;**
» **Geradas por erros e acertos;**
» **Relevantes;**
» **Úteis para resolver problemas concretos;**
» **Reaplicáveis;**
» **Capazes de modificar documentos de referência.**

Antes de detalhar o passo a passo para a montagem do Mirror Canvas, uma recomendação preliminar se faz necessária: no processo de sua construção, os participantes devem primeiro ter a oportunidade de propor ideias de modo espontâneo, antes de serem influenciados pelos modelos já existentes. Só depois de terem elaborado uma primeira versão dos posts é que se apresentam os itens e soluções semiprontos. De posse desse conhecimento acumulado, os participantes irão, então, aprimorar, substituir ou complementar os posts escritos à mão.

MIRROR CANVAS

Incorporação de lições aprendidas e boas práticas

É bastante comum que, dentro de uma área ou tema especíifico, os projetos guardem similaridades entre si, e que, portanto, alguns dos posts possam ser reaproveitados – por exemplo, quando os projetos tiverem os mesmos *stakeholders*, compartilharem premissas comuns, ou acarretarem riscos semelhantes.

Imagine uma consultoria de tecnologia da informação que oferece uma gama de projetos para seus clientes. Ora, certos tipos de projeto irão se repetir com frequência, como a construção de sites de e-commerce. Possuirão muitas coisas em comum, ainda que haja pequenas variações. É provável que essa empresa deseje que o conhecimento sobre a estruturação de projetos de e-commerce seja transmitido entre seus gerentes de

Mirror Canvas é uma maneira de reproduzir o que foi válido em projetos anteriores

projetos, e aprimorado com o tempo. Nesse contexto, ela pode optar por produzir um Mirror Canvas.

O Mirror Canvas é uma coleção de posts-padrão genéricos, formulados a partir de projetos anteriores ligados a um determinado tema, e que podem ser total ou parcialmente aproveitados na concepção de um novo projeto similar.

Os posts típicos de determinada categoria de projetos devem ser armazenados num documento de editor de textos (o Microsoft Word, por exemplo), formatado para a impressão de etiquetas ou post-its.

Para garantir agilidade no uso, recomendo que o Mirror Canvas fique sempre impresso, pronto para o uso. Se os posts-padrão estiverem armazenados de forma organizada, separados de acordo com os componentes do canvas, ficará mais fácil para os participantes escolherem quais aplicar no novo projeto, cabendo-lhes apenas destacar a etiqueta ou post-it pertinente.

Cada participante pode ficar responsável por um conjunto de etiquetas/post-its padrão, que ele consultará para verificar se algo se adequa ao novo projeto em questão. Caso afirmativo, ele colará o post-it pré-impresso diretamente no canvas. Agora, se a impressão tiver sido feita em etiquetas, elas devem ser coladas em cima de um post-it em branco, para só depois serem levadas ao canvas. Por que não colar a etiqueta diretamente no canvas? Porque a remoção ou realocação de post-its é muito mais fácil.

POSTS IMPRESSOS EM ETIQUETAS

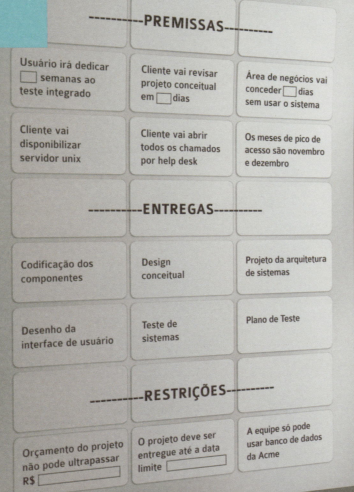

IMPRIMINDO E ORDENANDO OS POST-ITS NECESSÁRIOS AO MIRROR CANVAS

Agilidade para novos canvas

Você pode não saber, mas é muito simples e prático imprimir pequenos textos em post-its usando uma impressora comum. Esse artifício pode ser bastante útil para organizar e construir seus Mirror Canvas.

Tudo o que você tem que fazer é desenhar a folha a ser impressa no *software* que preferir e imprimi-la numa folha com os post-its posicionados. Eu escolhi o Powerpoint da Microsoft para montar o exemplo a seguir.

Algumas dúvidas podem surgir no primeiro contato com a descrição de todo esse processo. Tentarei me antecipar e resolvê-las a seguir.

É possível imprimir post-its em uma impressora comum

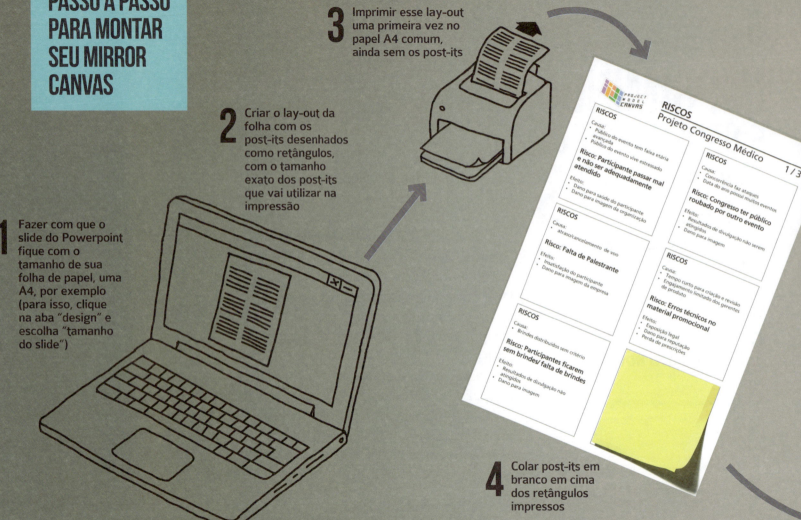

PASSO A PASSO PARA MONTAR SEU MIRROR CANVAS

1 Fazer com que o slide do Powerpoint fique com o tamanho de sua folha de papel, uma A4, por exemplo (para isso, clique na aba "design" e escolha "tamanho do slide")

2 Criar o lay-out da folha com os post-its desenhados como retângulos, com o tamanho exato dos post-its que vai utilizar na impressão

3 Imprimir esse lay-out uma primeira vez no papel A4 comum, ainda sem os post-its

4 Colar post-its em branco em cima dos retângulos impressos

6 Imprimir uma segunda cópia do mesmo desenho. (Os cabeçalhos que ficam fora dos post-its devem ser removidos dessa impressão, caso contrário serão impressos duas vezes)

5 Alimente a impressora com os post-its colados sobre a mesma folha que já foi impressa

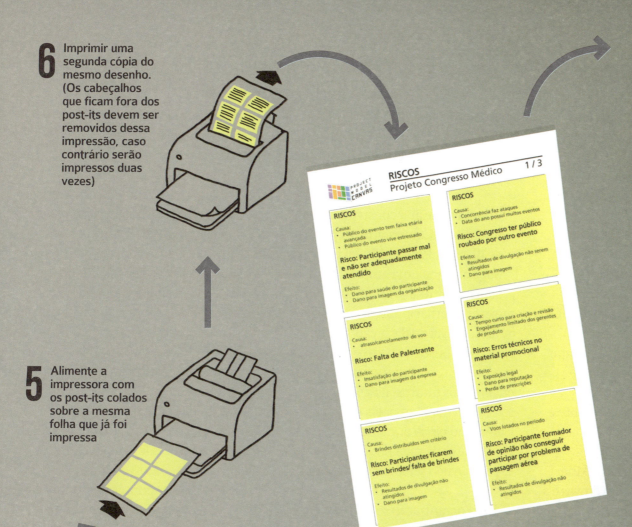

7 Após a impressão, organizar todos os post-its numa pasta com abas, que permita separar cada componente que você quer armazenar

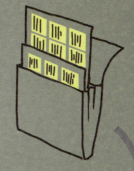

8 Usar os componentes do Mirror Canvas para compor novos projetos do mesmo tipo

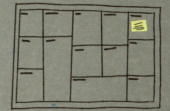

Qual a principal diferença entre um Projet Model Canvas e um Mirror Canvas?

Uma empresa costuma elaborar diversos Project Model Canvas dentro de uma mesma área ou tema. Constrói canvas específicos para cada plano de projeto concreto que assume. Agora, a empresa só chegará ao Mirror Canvas se optar por comparar as diversas experiências adquiridas nos projetos concretos que já gerenciou, para então montar um canvas generalista, contendo os principais denominadores comuns e os elementos recorrentes relacionados àquele tema.

A estrutura de um Project Model Canvas e de um Mirror Canvas é a mesma?

Os blocos são os mesmos e a ordem também. No entanto, sugiro que você deixe de fora do Mirror Canvas o "Objetivo", a "Linha do tempo" e o "Orçamento", pois esses itens sempre serão únicos.

Como embasar a construção de um Mirror Canvas único a partir de diversos Project Model Canvas?

Suponha que uma empresa de produção cultural já fez quatro projetos internacionais de exposições de arte. Ela vai analisar canvas por canvas em busca de padrões similares que possam aparecer novamente em projetos futuros. Esses padrões similares virarão os posts do Mirror Canvas, ao passo que os aspectos particulares de cada projeto de exposição não serão incorporados.

Uma organização só pode montar um Mirror Canvas depois de já ter elaborado diversos Project Model Canvas numa mesma área?

Sim, o mais normal é que lancemos mão desse recurso depois que estivermos usando a metodologia toda há um certo tempo. No entanto, já vi casos em que a organização decidiu elaborar um Mirror Canvas abrangente e denso com base em projetos anteriores que não foram modelados por meio da metodologia do canvas. Essa segunda alternativa é mais trabalhosa.

Quem elabora e aprimora o Mirror Canvas?

Deve-se designar um gestor para o Mirror Canvas ou mesmo um comitê gestor. Cada vez que um novo Project Model Canvas for preenchido e finalizado, o(s) responsável(is) deve(m) dedicar algum tempo para aprimorar o Mirror Canvas geral, com base nas novas aprendizagens.

UMA DICA QUE VAI FACILITAR SUA VIDA

Quando você arranca post-its do bloco, eles ficam enrolados?
Então você não está fazendo o movimento da forma correta

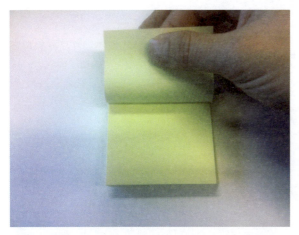

ERRADO: puxar os papeizinhos de baixo para cima faz com que fiquem curvados

CERTO: arrancar os papeizinhos da esquerda para a direita faz com que continuem perfeitos

Fonte: Vermijlen, Bart. How to peel off a Sticky Note | This Way Up. This Way Up | About Agile, Digital and Advertising. Bart Vermijlen, 19 Oct. 2012. <http://bart.vermijlen.be/how-to-peel-of-a-sticky-note/>. Acesso em 2 de maio de 2013.

EXPERIÊNCIAS COM O MIRROR CANVAS

Uma história de aplicação do Mirror Canvas

Os profissionais e as organizações habituados ao universo do gerenciamento de projetos, como aqueles atuantes nas áreas da construção civil e da tecnologia de informação, pensam o mundo em termos de projetos e, certamente, é mais fácil para eles incorporar as propostas metodológicas apresentadas neste livro.

Curiosamente, porém, muitos dos *insights* que tive a respeito do gerenciamento de projetos surgiram do convívio com pessoas que precisavam gerenciar projetos, mas que não tinham projetos em seus modelos mentais, e nem possuíam intimidade com o tema.

Reproduza a experiência vitoriosa

Adriana Behar, gerente de programa de desenvolvimento de atletas

Eu acredito que o Project Model Canvas possa ajudar muito, inclusive no caso dos profissionais menos familiarizados com o gerenciamento de projetos. E, se tiverem como ferramenta um Mirror Canvas bem trabalhado, poderão conceber seus projetos de forma fundamentada, sem deixar de fora o frescor da criatividade.

O caso que vou narrar a seguir foi uma das primeiras aplicações do Project Model Canvas e também do Mirror Canvas. Embora seu desenho naquela época fosse ligeiramente mais simples, o canvas não se distanciava muito do modelo atual. Pois bem, isso ocorreu justamente numa área de aplicação em que o uso de técnicas de gerenciamento de projetos não é tradicional: o esporte.

Toda boa história tem que ter um(a) protagonista, e, no nosso caso, ela é Adriana Behar, uma brilhante atleta, duas vezes medalhista olímpica do vôlei de praia brasileiro e gerente de programa de desenvolvimento de atletas.

O vôlei brasileiro é um exemplo de esporte que conseguiu se transformar num espaço de tempo relativamente curto. A partir dos anos 1980, alcançou patamares de primeira grandeza, tanto na modalidade quadra, quanto praia. Esse resultado positivo costuma ser explicado por um círculo virtuoso de bons gestores, bons treinadores e bons atletas.

Proponho, porém, outra explicação: o vôlei brasileiro soube estruturar bons projetos. Ainda que nem sempre usando técnicas tradicionais de gerenciamento, desenvolveu, intuitivamente, projetos com estratégias e objetivos bem definidos, que permitiram criar um centro de treinamento de ponta; implantar atendimento multidisciplinar para os atletas; viabilizar a participação do Brasil em todos os campeonatos mundiais, com infraestrutura e serviços adequados; captar patrocínio e implementar sistemas de gestão na Confederação Brasileira de Vôlei.

Mas, voltando à nossa protagonista, Adriana Behar, após ter deixado de atuar como atleta, e trabalhando no Comitê Olímpico Brasileiro, assumiu o papel de gerente de programa, passando a conviver intensamente com projetos, recursos, escritórios de gerenciamento de projetos (PMOs), mapas estratégicos, metas e indicadores de desempenho.

No começo de 2012, Adriana assumiu o desafio de ajudar todas as confederações esportivas brasileiras a conceber e estruturar bons projetos e a alcançar o mesmo sucesso que ela, como esportista, experimentou tantas vezes. A missão da Adriana era visitar as confederações e, a partir de apenas 3 ou 4 reuniões com a equipe de cada confederação, conseguir como resultado concreto um portfólio de projetos bem estruturados e associados a metas de desempenho.

Algumas confederações já tinham progredido nas técnicas tradicionais de gerenciamento de projetos, mas, para a maior parte, o tema era totalmente novo. Então, usando etiquetas adesivas e um mapa impresso em uma folha grande, segmentada em perguntas fundamentais, Adriana e sua equipe prepararam um plano de projeto semipronto (nessa época, não havíamos ainda batizado esse artefato de Mirror Canvas).

A experiência mostrou-se bastante positiva, porque acelerou o processo de concepção dos planos de projetos. Além disso, as confederações menores ou mais jovens puderam contar com padrões de referência e de comparação advindos da experiência de organizações mais maduras.

Na hora de compor o plano de projeto, ainda que muitas etiquetas adesivas derivassem de um menu de opções predeterminado, eram oferecidas também etiquetas em branco, para serem preenchidas com aspectos específicos de cada *projeto*.

No final, os vários canvas construídos nas diversas confederações deram origem a um portfólio completo, contendo projetos voltados ao aprimoramento dos esportes de alto desempenho. Esse portfólio, em constante evolução, passou a nortear as negociações com instituições públicas e privadas que possam financiá-lo.

Como se vê, o Mirror Canvas pode ser uma maneira simples e rápida de compartilhar sua experiência com seus *stakeholders*, de ajudá-los a "turbinar" suas próprias ideias e, mais importante, de colocá-las prontamente em prática.

CONCLUSÕES

A época em que se criava solitariamente um plano de projetos de múltiplas páginas para depois enviá-lo aos demais *stakeholders* parece extinta.

É rara a organização que oferece tempo ao colaborador para escrever um plano de projeto tradicional. Mais raro ainda é encontrar pessoas dispostas a lerem o plano feito.

O Project Model Canvas oferece a oportunidade de elaborar um plano de projeto em equipe, envolvendo os principais *stakeholders*, permitindo cocriar, em uma única sessão, um plano completo. O plano nasce como modelo mental, forte nos conceitos e ideias que carrega. O plano ficará vivo na cabeça dos *stakeholders*, não no papel.

A equipe poderá usar o protocolo de integração do Project Model Canvas para costurar todos os elementos do plano e torná-los consistentes.

É possível que, durante a realização do exercício, a equipe descubra dificuldades em prosseguir com o exercício, mas é melhor identificá-las o quanto antes para que possam ser identificadas e resolvidas.

Finalmente pronto, o Project Model Canvas será a alma do projeto, sendo usado para derivar outros documentos e outras plataformas que podem ser aproveitadas como capital intelectual.

REFERÊNCIAS

BRODIE, R. *Virus of the mind: the new science of the meme*. Carlsbad, Calif.; Sydney: Hay House, 1996-2010.

BROWN, T. *Change by design: how design thinking transforms organizations and inspires innovation*. New York: Harper Business, 2009.

CULMSEE, P.; AWATI, K. *Heretic's guide to best practices: the reality of managing complex problems in organizations*. S.l.: iUniverse.com, 2013.

DECARLO, D. *Extreme project management using leadership, principles, and tools to deliver value in the face of volatility*. San Francisco, CA: Jossey-Bass, 2004.

DETTMER, H. W. *The logical thinking process: a systems approach to complex problem solving*. Milwaukee, Wis.: ASQ Quality Press, 2007.

GOLDRATT, E. M. *Critical chain*. Great Barrington, MA: North River Press, 1997.

HILLSON, D.; SIMON, P. *Practical project risk management the ATOM methodology*. Tysons Corner, Va.: Management Concepts, 2012.

HUBBARD, D. W. *How to measure anything: finding the value of "intangibles" in business*. In: Hoboken, N. J. New York: John Wiley & Sons, 2007.

KAHNEMAN, D. *Thinking, fast and slow*. New York: Farrar, Straus and Giroux, 2011.

KOTTER, J. P. *Leading change*. Boston: Harvard Business Review Press, 2012.

LEACH, L. P. *Critical chain project management* (2nd ed.). Boston: Artech House, 2005.

OSTERWALDER, A.; PIGNEUR, Y.; CLARK, T. *Business model generation: a handbook for visionaries, game changers, and challengers*. Hoboken, NJ: Wiley, 2010.

Project Management Institute. *A guide to the project management body of knowledge: (PMBOK® Guide)* (5th ed.). Newtown Square, Pa.: Project management institute, 2013.

ROAM, D. *The back of the napkin: solving problems and selling ideas with pictures*. New York: Portfolio, 2008.

ROCK, D. *Your brain at work: strategies for overcoming distraction, regaining focus, and working smarter all day long*. New York: Harper Business, 2009.

SENGE, P. M. *The fifth discipline: the art and practice of the learning organization*. New York: Doubleday/Currency, 1990.

SHOOK, J.; WOMACK, J. P. *Managing to learn*. Cambridge, MA: Lean Enterprise Institute, 2008.

SIBBET, D. *Visual Leaders*. New York: John Wiley & Sons, 2013.

SIBBET, D. *Visual teams: graphic tools for commitment, innovation, & high performance*. Hoboken, NJ: John Wiley & Sons, 2011.

SILVIUS, G. *Sustainability in project management*. Farnham: Gower, 2012.

SINEK, S. *Start with why: how great leaders inspire everyone to take action*. New York: Portfolio, 2009.

VERMIJLEN, B. (2012, October 19). How to peel off a Sticky Note | This Way Up. *This Way Up | About Agile, Digital and Advertising*. Retrieved May 2, 2013. Disponível em: http://bart.vermijlen.be/how-to-peel-of-a-sticky-note/.

WUJEC, T. (2009, July 10). Tom Wujec: 3 ways the brain creates meaning | Video on TED.com. *TED: Ideas worth spreading*. Retrieved July 12, 2012. Disponível em: http://www.ted.com/talks/tom_wujec_on_3_ways_the_brain_creates_meaning.html.

WUJEC, T. *Imagine design create*. New York, N.Y.: Melcher Media, 2011.

ÍNDICE REMISSIVO

A

Aceitar 141
    ativamente 143, 144
    passivamente 143, 144
Agrupar 31, 129
    entregas pequenas em entregas maiores 90
Alcançável 55, 58, 117
Alta probalidade 106, 140
Alto impacto 140, 183
Ambiente externo 72, 122, 181
Ameaça 30, 98, 104, 140, 141, 166, 172, 173, 174
Apple 48
Atenção 31
Autoridade 28, 72, 74-78, 88, 152, 160, 161, 184
Avaliação global de risco 165, 182, 183, 198

B

Behar, Adriana 218-220
Benefícios 47, 51-54, 59-62, 117, 131, 133, 156, 171, 174, 177, 183, 190, 191
Business model 19, 223

C

Campos de força 75, 79
Canvas 187, 188, 194, 195, 198, 199, 205, 208, 211, 214, 217, 218, 220
    desdobramentos do 186
    disposição dos componentes do 45
    fazendo seu 34
    forma de preenchimento 19
    Moby Dick 194-196
    sustentável 172
    preenchimento coletivo de um 18

Capital intelectual 203, 205, 221
Causa 38, 87, 95, 101, 105, 107, 124, 125, 164, 176, 181, 182, 192
    risco – efeito 104, 165
Cliente 56, 61, 62, 63, 64, 65, 67, 69, 81, 88, 105, 106, 118, 119, 120, 140, 157, 158, 160, 168, 169, 183, 184, 190, 191, 207,
    do projeto 72, 78, 98, 13, 133, 134
Comissão Mundial sobre Meio Ambiente e Desenvolvimento 60
Componentes 17, 19, 38, 46, 47, 57, 63, 67, 85, 88, 91, 100, 103, 123, 129, 171, 182, 188, 189, 192, 208, 213
Compromisso 95, 96, 108, 109, 111, 124, 125, 159, 182, 192, 199
Comunicar/compartilhar 38

Conceitos 19, 24, 25, 27, 28, 31, 33, 37, 39, 41, 47, 104, 175, 187, 221
Concepção de um plano de projeto 27, 28
Córtex pré-frontal 28, 29, 31
Córtex visual 23, 28
Cronograma 14, 38, 76, 95, 96, 97, 106, 107, 108, 109, 124, 129, 132, 144, 145, 167, 168, 185, 186, 193, 195, 199
    influência da equipe sobre o 135
Custos 47, 55, 59, 95, 106, 112, 117, 125, 144, 155, 175, 199
    do projeto 96, 97, 125, 182

D

Datas-limite 167
Delimitado no tempo 58, 190
Demanda 27, 28, 33, 51, 52, 53, 56, 60, 63, 65, 116, 144, 155, 190
    e trabalho 66
Desenvolvimento sustentável 60
Duração do projeto 68, 107, 134, 135, 166

E

Efeito dominó 153
Equipe 15, 18, 30, 31, 37, 39, 47, 60, 64-67, 69, 71, 75-77, 79, 80, 81, 83-85, 88, 89, 91-93, 95, 96, 98, 99, 102, 103, 106, 109, 111, 112, 120-123, 125, 129, 134, 135, 137, 152, 156, 157, 159, 161-172, 175, 181, 183, 184, 192-194, 204, 219, 220, 221
    do projeto 30, 63, 64, 74, 78, 173, 176, 190, 192
    envolvimento da 184
    ideal para montar o plano 41
    técnica 184
Esfera(s)
    de controle 75, 78, 80, 85, 120, 134, 183
    de influência do gerente de projeto 75, 78-81, 85, 134, 135, 159, 160, 181, 183, 192
Especialista 30, 65
    do escritório de projetos 41
    na área de negócio 41

Específico 58, 61, 99, 100, 101, 103, 104, 105, 107, 164, 165, 198, 214, 220
Estado mental 109, 111
    "compromisso de resultado" 111
    "tarefa" 111
Estratégias a adotar de acordo com a probabilidade e o impacto de cada risco 140
Excel 16, 17, 76, 145

F

Falhas na concepção do empreendimento 53, 54
Fatores externos 72, 73, 85, 120, 122, 136, 138, 183, 192
Flip chart 33, 34
Foco 31, 84, 100, 111
Formato 17, 33, 57, 58, 91, 104, 158, 161, 217
Fugir ou lutar 30

G

Gerente de projeto 16, 30, 35, 41, 47, 64, 74, 75, 78, 79, 80, 83, 85, 86, 87, 88, 90, 98, 107, 112, 120, 121, 122, 134, 138, 147, 160, 161, 162, 166, 175, 183, 184, 197, 205,
Gestão do risco global do projeto 99
Goldstein, Ilana 60
Grupo de entregas 47, 90, 112, 134, 194
    organizar 90
Guia PMBOK® 17

H

Hewlett Packard 165, 166

I

Identificar as entregas 162
Impressos em etiquetas 209
Influência 75, 78- 81, 134, 135, 159, 160, 176, 181, 183, 192, 206
    níveis de 181
    organização fora da 81

Integração 19, 27, 38, 100, 129, 131, 132, 137, 140, 147, 168, 169, 185, 191, 205, 221
    fechando a integração 147

J

Justificativa 47, 52, 56, 61, 116, 117, 131, 132, 133, 177, 190

L

Linha do tempo 47, 96, 97, 107, 108, 110, 111, 125, 167, 182, 183, 194, 199, 214
    como organizar a 91, 110, 111, 199,

M

Membros da equipe 18, 74, 75, 78, 80, 81, 89, 91, 135, 137, 172, 183, 194
    papéis dos 76
Memória de trabalho 28, 31
Mensurável 58, 117, 190
Método de Osterwalder e Pigneur 18, 19

Mirror Canvas 205, 206, 207, 208, 211, 212, 213, 214, 217, 218, 220
    experiências com o 217
Mitigar 141, 143
Modelo mental 23, 24, 25, 33, 45, 46, 75, 129, 185, 187, 221

N

Neurociência 19, 21, 25, 27, 33
Nível de risco 97, 184
    global por categoria 102, 103
Nós 181

O

Objetivo do projeto 51, 53, 55, 56, 57, 104, 106, 117
Orçamento 38, 76, 95- 97, 112, 129, 132, 144, 145, 182, 185, 186, 193, 199, 214
Ordem 19, 31, 38, 45, 46, 47, 112, 152, 164, 194, 214
Orientados por entregas 132, 144, 183
Ouvir 74, 157, 174

P

Participar 31, 206
Passado 109, 131, 203, 204, 205
    ignorar o 204
    reproduzir integralmente o 204
Patrocinador 72, 81, 87, 95, 99, 100, 107, 120, 134, 155, 156, 159, 160, 162, 182, 183, 190, 192, 193, 198, 199
    do projeto 72, 79, 134
Pensamento(s) 31, 129, 171
    criativo 28
    orientado a falhas 165
Perguntas fundamentais 19, 38, 46, 49, 115, 220
Pessoas 13, 33, 39, 47, 48, 71, 72, 85, 88, 92, 95, 107-109, 115, 120, 129, 151, 156, 157, 160, 161, 167-171, 175, 177, 181, 187, 188, 197, 217, 221
Pitch 35, 115
Plano de projeto tradicional 17, 221
Poder computacional 27, 28
Por que fazer o projeto? 51
Posicionamento 77, 140, 176, 181

Post-it 33-35, 37, 45- 47, 56, 57, 61, 65, 69, 72, 75, 79, 91, 93, 100, 103-105, 110, 133, 134, 136, 157, 164, 208, 211-213, 215
Premissas 27, 28, 47, 84, 85, 86, 87, 122, 132, 135, 136, 138, 140, 156, 182, 183, 192, 193, 207
    exemplos de 86
    de teor adverso 87
    mal escritas 138
Preparo 31
Prevenir 134, 140, 143
Princípio de Pareto 62
Processo 16, 17, 19, 23, 30, 31, 38, 48, 63, 69, 72, 77, 79, 97, 100, 102, 103, 129, 152-154, 161, 165, 166, 188, 189, 190, 191, 206, 211, 220
    de gerenciamento de riscos de resolução de projetos 98, 99
Produto(s) 47, 48, 61, 63, 65, 67, 69, 72, 78, 88, 89, 95, 99, 105, 106, 118, 119, 131-133, 136, 137, 140, 156-158, 171, 172, 183, 191
    do projeto 53, 63, 64, 65, 67, 118, 120, 133, 136, 156, 157, 170, 173, 181, 191

Programação PERT e CPM 175
Project Model Canvas 18, 19, 33, 39, 41, 45, 46, 48, 52, 65, 68, 69, 96, 97, 99, 100, 105, 109, 112, 115, 131, 147, 171, 175, 176, 181, 185, 186, 187, 189, 205, 214, 218, 221
    taxionomia do 46
Projeto(s) 13, 14, 16, 17, 18, 19, 21, 23, 25, 27, 28, 30, 31, 33, 35, 37, 38, 39, 41, 46, 47, 48, 51-69, 71-80, 83-92, 95-113, 115-118, 120-125, 129, 131-138, 140, 141, 143-145, 147, 151-177, 181-195, 197-199, 203-208, 213, 214, 217-221
    entregas de um 89
    não gera valor 155
Promessas de tempo e custo 124, 184
Protocolo de integração 131, 132, 140, 205, 221

Q

Qualidade 53, 63, 64, 69, 106, 119, 174, 191

R

Realista 55, 58, 109, 117

Recompensa 30

Recursos 25, 55, 56, 58, 72, 73, 79, 91, 102, 105, 109, 120, 134-136, 141, 143, 156, 159, 161, 168, 175, 184, 191, 192, 219

Regra KISS 112

Relacionar 31, 37, 99, 133

Relações
  entre esses conceitos 25
  entre os conceitos 37

Requisito(s) 47, 53, 55, 63, 67, 68, 69, 72, 78, 118, 119, 131, 132, 133, 140, 152, 157, 158, 168, 171, 173, 177, 183, 184, 191
  características dos 69
  definição de 69

Resistência ao projeto 176

Resolver 38, 149, 152, 153, 174, 206

Restrições 19, 27, 28, 47, 84, 91, 92, 93, 122, 123, 132, 136, 137, 171, 182, 183, 197

Resultado(s) 18, 39, 58, 62, 63, 65, 67, 72, 88, 90, 99, 106, 108, 109, 111, 112, 118, 119, 125, 129, 140, 156, 161, 183, 194, 218, 219

Risco(s) 15, 25, 27, 28, 39, 47, 54, 55, 75, 87, 95, 97, 98, 99-107, 110, 112, 124, 125, 132, 134, 140, 144, 153, 156, 158, 164-166, 168, 173, 174, 182-184, 198, 203, 207
  definição de 97
  definir a estratégia de acordo com o 140, 142
  formas erradas de escrever os 105
  global 166, 165
  "para inglês ver" 164, 165

Rock, David 30

S

Serviço(s) 63, 65, 72, 88, 118, 119, 125, 156, 161, 165, 171, 173, 174, 183, 206, 219

Simplificar 37, 90

Sinek, Simon 47

Sistema límbico 29, 30, 48

Sistema nervoso
  reações do 29

SMART 52, 57, 58, 177, 133, 171, 190

Stakeholder(s) 23, 27, 28, 31, 33, 37, 45, 47, 68, 72, 78, 79, 85, 90, 99, 102, 115, 120, 133, 135, 136, 152, 157, 158, 174, 175, 176, 177, 181, 183, 184, 190, 192, 193, 207, 220, 221
  externo(s) 28, 47, 72, 78, 79, 85, 120, 133, 136, 174-176, 181, 193

Sustentabilidade 59, 170, 171

T

Tarefas 78, 107, 109, 111, 164, 167

Trabalhar com informações imperfeitas 151

Trabalho decupado 181

Transferir 141, 143

Triple bottom line 60

V

Visualização 18, 23, 28, 31

Vôlei brasileiro 218

W

Wujec, Tom 23

Este livro foi impresso nas oficinas gráficas da Editora Vozes Ltda.,
Rua Frei Luís, 100 – Petrópolis, RJ.